Cuisine micro-ondes

Cuisine micro-ondes

HYLA O'CONNOR
Traduit de l'anglais par Germaine Ellis

la presse

Publication exclusive pour le Canada
Les Editions La Presse, Ltée
7, rue Saint-Jacques
Montréal, Québec, H2Y 1K9

Dépôt légal
Bibliothèque nationale du Québec
4e trimestre 1977

ISBN 0-7777-0186-3

Les photographies sont de Walter Storck Studios, Inc.
Les illustrations sont de Tom Huffman

Imprimé au Japon

Cuisine micro-ondes

Table des matières

Cuisine micro-ondes, Cuisine magique

Les avantages de la cuisson à micro-ondes sont multiples et variés. Il y a d'abord la rapidité. Avez-vous déjà fait cuire des pommes de terre en cinq minutes, réussi un gros rôti en dix-huit minutes, servi une timbale en six minutes ou encore confectionné une crème prise en trois minutes? Et puis, il y a le confort. Vous n'avez plus besoin, au cours des grandes chaleurs, d'imaginer des repas que vous devez cuire sur la cuisinière pour éviter la chaleur dégagée par un four conventionnel.

Pour ajouter à tout cela, le four à micro-ondes est si facile à utiliser qu'il peut faire de papa et des enfants de vrais cuistots et vous libérer à l'heure des repas quand vous avez le goût de vous occuper à autre chose. C'est, en définitive, l'appareil de cuisine auquel la maîtresse de maison rêvait depuis longtemps.

Pendant que vous vous familiarisez avec votre four, fiez-vous aux temps de cuisson indiqués dans les recettes; à mesure que vous deviendrez plus familière avec la cuisson à micro-ondes, vous apprendrez à juger facilement le degré de cuisson de chaque aliment. Prenez les gâteaux comme exemple. Vous savez qu'un gâteau est cuit quand il se détache des parois du moule. C'est aussi vrai pour un gâteau cuit dans un four à micro-ondes, mais, contrairement au gâteau cuit conventionnellement, le dessus sera encore très humide. Vous constaterez que lorsque vous retirez un gâteau du four et le laissez reposer, la surface continuera de cuire et de sécher.

Alors que la plupart des usagers de fours à micro-ondes les apprécient pour leur rapidité, il est aussi prouvé que ces appareils nouveau genre effectuent toutes sortes de cuissons d'une manière qui est bien supérieure à ce qui est fait par la méthode conventionnelle. Le riz, par exemple, cuit comme par magie. Mesurez simplement le riz et l'eau dans une casserole, remuez une fois durant la cuisson, et le riz deviendra beau et gonflé, juste à la bonne consistance. Un autre avantage, la casserole est facile à nettoyer.

Toutes les sauces blanches ainsi que les crèmes prises sont une autre catégorie de mets qui gagnent à être préparés de cette façon. En les cuisant au four à micro-ondes, vous n'avez plus besoin de les remuer constamment. Une fois que les ingrédients sont mélangés dans le plat de cuisson, ils peuvent être placés dans le four, agités une fois ou deux, et ils sortent magnifiquement lisses, juste à la bonne consistance. Il n'y a jamais de danger de brûler la nourriture. Et, encore une fois, le plat de cuisson est facile à laver.

9

CI-CONTRE: Une grande variété d'ustensiles—tout sauf le métal—peut être utilisée dans le four à micro-ondes.

En plus de bien faire différentes sortes de cuissons rapidement pour vous, le four à micro-ondes accomplit une foule de petits trucs et de travaux de cuisine ennuyants, et cela, de la meilleure façon. Par exemple, le beurre fond en quelques secondes dans votre four à micro-ondes et vous n'avez pas à craindre qu'il brunisse. Couvrez simplement le beurre avec un morceau de film plastique pour éviter les éclaboussures et le renversement. C'est la même chose pour le chocolat, dans votre four à micro-ondes; il fond vite et facilement, sans risque de brûler. Même une chose aussi simple que de faire une tasse de café instantané devient plus facile parce que l'eau bout en un rien de temps dans votre four à micro-ondes. Les brioches réchauffent presque instantanément. Les aliments cuits la veille sortent du four avec le goût et l'arôme de frais cuisiné.

Des réceptions de dernière minute peuvent devenir des tours de passe-passe grâce à votre four à micro-ondes. Les amuse-gueule, soit faits à l'improviste ou préparés à l'avance et congelés, peuvent aller du four à micro-ondes jusqu'aux invités en un tournemain.

Vous gagnez aussi à l'heure du nettoyage. Vous remarquerez que plusieurs recettes dans ce livre requièrent des choses que vous pouvez jeter après usage: des serviettes de papier ou des assiettes de carton comme plats, du film d'emballage ou du papier ciré pour recouvrir. On peut aussi utiliser des gobelets de papier. Même quand vous employez vos plats ordinaires, en verre ou en faïence, vous les trouverez exceptionnellement faciles à laver sans ces particules brûlées si difficiles à décoller qui résultent souvent de la cuisson conventionnelle.

Lorsque vous essayez vos propres recettes, si vous êtes indécise au sujet de la grandeur de la casserole à employer, choisissez de préférence un format plus grand, surtout si la recette contient du lait. De cette façon, vous n'aurez pas de gâchis à nettoyer.

Vous pouvez cuisiner aussi bien les repas de famille que les dîners gastronomiques à l'aide de votre four à micro-ondes. Par exemple, voici une suggestion pour le dîner de la famille:

Crème printanière (page 28)
Goulash de boeuf (page 34)　　　**Petits pains chauds**
Salade du chef
Surprise aux pommes (page 150)　　　**Café instantané (page 127)**

Faites d'abord le dessert, mettez-le de côté, et cuisez le goulash. Pendant ce temps, apprêtez la salade. Maintenant, faites le potage alors que le goulash repose. Les petits pains chaufferont en quelques secondes. Chauffez l'eau pour le café et le dîner est prêt à servir.

Désirez-vous convier des invités à dîner? Voici un menu pour eux:

Canapés au fromage Cheddar (page 14)　　Trempette aux crevettes (page 19)
Crème soudanaise (page 22)
Rôti d'entrecôte (page 30)　　　**Haricots verts pimentés (page 96)**
Chou-fleur et tomates (page 105)
Quartiers de laitue avec sauce au fromage bleu
Mousse à la vanille avec sauce aux fraises (page 146)　　　**Café noir**

Faites cuire les crevettes et préparez le dessert le matin. Faites la salade et sa sauce avant l'arrivée des invités. Préparez les canapés au fromage Cheddar juste avant de les servir au salon en même temps que les crevettes, au moment de l'apéritif. Le rôti de boeuf cuit pendant ce délai; il est ensuite retiré du four et finit de cuire en reposant pendant que les légumes cuisent. Le café, évidemment, ne prend qu'une minute.

Avec le four à micro-ondes, c'est un plaisir de recevoir des amis pour le déjeuner du dimanche. Vous pouvez leur offrir ce menu:

Coquetel au jus d'ananas (page 124)
Oeufs à la Bénédict (page 82)   **Champignons sautés (page 106)**
Brioches glacées (page 138)   **Café au lait (page 127)**

Tout d'abord, chauffez les brioches. Ensuite, préparez et servez le jus d'ananas. Pendant que les invités conversent et dégustent le coquetel, vous pouvez vous occuper des oeufs et des champignons. Le café est l'affaire d'un moment et vous êtes prête à servir.

A mesure que vous vous habituez au four à micro-ondes, vous vous surprendrez à organiser et servir plusieurs repas cuits aux micro-ondes qui seront tout aussi variés et exquis que ceux-ci.

Un dernier mot: prenez bien soin de votre four à micro-ondes et il durera longtemps et vous rendra de grands services. D'ailleurs le nettoyage en est très facile si vous suivez les données de votre manuel d'instructions. Si vous avez besoin d'assistance, faites venir le technicien compétent.

11

EQUIVALENCES
Mesures

Canadiennes		Métriques	
1 once		29 grammes	
2 onces		58 grammes	
3 onces		85 grammes	
4 onces		113 grammes	
5 onces		142 grammes	
6 onces		170 grammes	
7 onces		198 grammes	
8 onces		227 grammes	
9 onces		255 grammes	
10 onces		283 grammes	
11 onces		312 grammes	
12 onces		340 grammes	
13 onces		369 grammes	
14 onces		397 grammes	
15 onces		425 grammes	
16 onces	1 livre	455 grammes	app. ½ kilogramme
32 onces	2 livres	app. 1000 grammes	1 kilogramme

Américaines		Métriques
1 pinte	4 tasses	1 litre

Température
Thermomètre à viande

Fahrenheit	Celsius
165° F.	74° C
170° F.	77° C
175° F.	79° C
180° F.	82° C
185° F.	85° C
190° F.	88° C

Thermomètre à grande friture et à bonbons

Fahrenheit	Celsius
212° F.	100° C
218° F.	103° C
250° F.	121° C
310° F.	154° C

Les Amuse-gueule

Les amuse-gueule que vous aurez préparés il y a des jours ou des semaines et congelés, peuvent être réchauffés en quelques minutes grâce à votre four à micro-ondes. Naturellement, les canapés sur pain ou petits biscuits devraient être préparés à la toute dernière minute afin de prévenir le ramollissement. Disposez les canapés sur un plateau préalablement recouvert d'une serviette de papier ou d'un papier absorbant. Si vous chauffez un grand nombre de canapés, enlevez le papier de cuisson et replacez les canapés chauds sur le plateau, non seulement par souci d'apparence mais également pour éviter que les canapés ne reposent sur une surface humide.

Le four à micro-ondes est idéal pour les trempettes de toutes sortes. On peut les préparer longtemps à l'avance, les mettre dans les plats de service et les réchauffer dans ces plats sans complication ou embarras.

Les saucisses aigres-douces de Gerri

6 à 8 portions

2 c. à table de moutarde préparée
¼ de tasse de gelée de raisins
½ livre (227 g) de saucisses fumées

1 c. à table de margarine ou de beurre fondu

1. Mélanger la moutarde et la gelée dans une tasse à mesurer.
2. Cuire, couvert de film d'emballage, 1½ minute.
3. Couper chaque saucisse diagonalement en 9 ou 10 morceaux. Mettre avec le beurre dans une casserole de 1 pinte (1 litre).
4. Couvrir et cuire 1 minute.
5. Verser le mélange de gelée sur les saucisses. Couvrir et cuire 2 minutes.
6. Laisser reposer 2 minutes.
7. Servir chaud.

Saucisses coquetel

6 à 8 portions

¼ de tasse d'oignon émincé
2 c. à thé de beurre
½ tasse de catsup aux tomates
1 c. à table de vinaigre
½ c. à thé de sauce Worcestershire
2 c. à table de cassonade

½ c. à thé de sel
½ c. à thé de moutarde sèche
½ c. à thé de paprika
2 à 3 douzaines de saucisses coquetel

1. Mélanger l'oignon et le beurre dans une casserole de 1 pinte (1 litre) à 1½ pinte (1,5 litre).
2. Couvrir et cuire 2 à 3 minutes ou jusqu'à ce que l'oignon soit transparent.
3. Ajouter ¼ de tasse d'eau et tous les autres ingrédients, à l'exception des saucisses.
4. Couvrir et cuire environ 3 minutes, ou jusqu'à ce que la sauce bouillonne légèrement.
5. Ajouter les saucisses.
6. Couvrir et cuire environ 2 minutes ou jusqu'à ce que les saucisses soient chaudes.
7. Laisser reposer, couvert, pendant 2 minutes.
8. Servir chaud avec des cure-dents.

Canapés au fromage Cheddar

24 canapés

¼ de tasse de fromage Cheddar râpé
2 c. à table de crème
1 c. à table de fromage parmesan râpé
⅛ de c. à thé de sauce Worcestershire

⅛ de c. à thé de sauce Tabasco
1 c. à table de graines de sésame
24 rondelles de pain grillé ou craquelins
Persil haché

1. Mélanger le fromage Cheddar, la crème, le fromage parmesan, la sauce Worcestershire, la sauce Tabasco et les graines de sésame. Battre au malaxeur électrique jusqu'à consistance crémeuse.
2. Etendre 1 c. à thé de ce mélange sur les rondelles de pain ou les craquelins.
3. Disposer sur un plateau recouvert de papier absorbant.
4. Cuire 15 à 20 secondes ou jusqu'à ce que le fromage soit fondu.
5. Garnir de persil. Servir chaud.

AUX PAGES SUIVANTES: à gauche, Saucisses coquetel, page 14; Trempette aux feves, page 19; Trempette aux crevettes, page 15; *à droite,* Amuse-gueule à la viande, page 20; Trempette au fromage, page 20; Crevettes coquetel, page 19.

Rôties au Cheddar   6 portions

2 tasses de fromage Cheddar fort râpé

¼ de tasse de beurre amolli ou de margarine

¼ de c. à thé de moutarde sèche

Un soupçon de poivre de cayenne

1 c. à thé de jus d'oignon

1 c. à table de sauce Chili

6 tranches de pain blanc, grillées

1. Mélanger tous les ingrédients à l'exception du pain grillé.
2. Placer chaque tranche de pain grillé sur une assiette de papier. Répartir le mélange entre toutes les tranches de pain grillé.
3. Cuire les rôties, une à la fois, 1 à 1½ minute ou jusqu'à ce que le fromage soit fondu.

Canapés aux oeufs et champignons   18 canapés

2 c. à table de beurre ou de margarine

1 c. à table d'oignon haché fin

½ tasse de champignons hachés fin

2 oeufs durs hachés fin

1 c. à table de persil haché

½ c. à thé de sel

18 rondelles de pain grillé ou craquelins

¼ de tasse de fromage Cheddar râpé

1. Mettre le beurre, l'oignon, et les champignons dans un bol à mesurer. Cuire à découvert, 2 à 3 minutes, ou jusqu'à ce que les champignons soient tendres.
2. Ajouter, en mélangeant, les oeufs, le persil, et le sel.
3. Tartiner les rondelles de pain avec 1 c. à table de ce mélange. Saupoudrer de fromage Cheddar.
4. Disposer sur un plateau recouvert de papier absorbant.
5. Cuire à peu près 30 secondes ou juste assez longtemps pour faire fondre le fromage.
6. Servir chaud.

15

Trempette aux crevettes   2 tasses

1 boîte (10½ oz ou 297 g) de crème de crevettes, non diluée

1 paquet (8 oz ou 227 g) de fromage à la crème ramolli

1 c. à thé de jus de citron

Un soupçon de paprika

Un soupçon de poudre d'ail

1. Mettre la crème de crevettes dans un bol.
2. Faire chauffer, à couvert, de 1½ à 2 minutes.
3. Ajouter en battant le fromage à la crème, le jus de citron, le paprika et la poudre d'ail.
4. Garder chaud sur un réchaud de table. Servir avec des légumes crus bien croustillants.

Crabe suprême

¾ de livre (340 g) de crabe cuit,
frais ou en boîte
½ tasse de céleri haché
3½ c. à table de mayonnaise
½ c. à thé de poudre de cari
Sel et poivre au goût

6 moufflets au maïs (muffins au
maïs) prêts à griller
½ tasse de croustilles de pommes
de terre émiettées
6 tranches de fromage suisse

1. Mélanger la chair de crabe et le céleri.
2. Ajouter à la chair de crabe, la mayonnaise mélangée avec la poudre de cari. Assaisonner de poivre et de sel au goût.
3. Placer chaque moufflet sur une assiette de papier. Couvrir les moufflets avec le mélange au crabe. Saupoudrer de miettes de croustilles et recouvrir d'une tranche de fromage.
4. Faire cuire, un à la fois, pendant 1 à 1½ minute ou jusqu'à ce que le fromage soit fondu.

Fondue aux crevettes et olives

A peu près 2½ tasses

1 boîte (10½ oz ou 297 g) de
crème de crevettes, non diluée
1 paquet (8 oz ou 227 g) de
fromage à la crème coupé en
morceaux
1 boîte (8 oz ou 227 g) d'olives
noires hachées, égouttées

2 c. à table de jus de citron
1 c. à thé de sauce Worcestershire
¾ de c. à thé de poudre de cari
(facultatif)

18

1. Mélanger la crème de crevettes et le fromage à la crème dans une casserole de 1 pinte (1 litre).
2. Couvrir et faire cuire 3 minutes.
3. Retirer du four et remuer jusqu'à ce que le fromage soit bien incorporé. Ajouter les autres ingrédients.
4. Couvrir et cuire 1½ à 2 minutes ou jusqu'à ce que le mélange soit bien chaud.
5. Placer sur un réchaud et servir avec des croustilles de maïs ou de pommes de terre.

Champignons farcis

8 portions

8 champignons de grosseur
moyenne
2 c. à table d'oignon émincé
3 c. à table de beurre ou de
margarine

½ tasse de chapelure
¼ de c. à thé de sauce Tabasco
2 c. à table de sherry

1. Essuyer les champignons avec un papier absorbant mouillé. Enlever les queues des champignons et les hacher finement. Placer dans un petit bol avec l'oignon et le beurre. Cuire à découvert de 3 à 4 minutes ou jusqu'à ce que l'oignon soit tendre.
2. Combiner ce mélange avec la chapelure, la sauce Tabasco et le sherry. Farcir les têtes entières de ce mélange. Placer les champignons farcis dans un plat à gratin de 8 pouces (20 cm).
3. Couvrir et faire chauffer de 3 à 4 minutes.

Pâté surprise

3 tranches de bacon
1 petite tomate, pelée et coupée en quartiers
1 c. à thé de moutarde préparée
1 paquet (3 oz ou 85 g) de fromage à la crème coupé en cubes

¼ de c. à thé de sel de céleri
½ tasse d'amandes blanchies

1. Couvrir le fond d'un moule carré de 8 pouces (20 cm) de papier absorbant. Placer les tranches de bacon sur le papier et recouvrir d'une autre feuille de papier.
2. Cuire à peu près 3 minutes ou jusqu'à ce que le bacon soit croustillant.
3. Mettre les morceaux de tomate, la moutarde, le fromage à la crème et le sel de céleri dans la jarre du mélangeur électrique. Couvrir, mettre le moteur en marche et laisser tourner jusqu'à ce que le mélange soit crémeux. Ajouter les amandes et le bacon. Couvrir et mélanger jusqu'à ce que les amandes soient de la grosseur désirée.
4. Servir avec des craquelins.

Trempette aux fèves

3 tasses

1 boîte (1 lb ou 455 g) de fèves au lard ou de haricots rouges
1 bocal (8 oz ou 227 g) de fromage fondu pasteurisé à tartiner

¼ de tasse de catsup
1 c. à thé de poudre de chili
Un soupçon de sauce Tabasco

1. Verser les fèves dans une casserole de 1½ pinte (1,5 litre). Ecraser les fèves à la fourchette. Ajouter les autres ingrédients. Bien mélanger.
2. Couvrir et faire cuire à peu près 2 minutes. Bien mélanger.
3. Remettre au four à peu près 2 minutes.
4. Garder au chaud sur un réchaud.

Crevettes coquetel

2 à 3 portions

½ livre (227 g) de crevettes fraîches
2 c. à table de beurre

½ gousse d'ail émincée
3 c. à table de vin blanc sec

1. Décortiquer et déveiner les crevettes. Les rincer à l'eau froide.
2. Placer le beurre, l'ail et le vin dans un plat à cuisson carré de 8 pouces (20 cm).
3. Cuire 2 minutes.
4. Remuer et ajouter les crevettes. Couvrir de papier ciré et cuire 2 minutes.
5. Remuer les crevettes, couvrir, et cuire 2 minutes ou jusqu'à ce que les crevettes deviennent rosées et tendres.
6. Verser le tout dans un joli plat et saler.
7. Réfrigérer jusqu'au moment de servir. Ce hors-d'oeuvre peut être servi avec une sauce coquetel.

Trempette au fromage

1 livre (455 g) de fromage fondu
canadien, râpé

⅓ de tasse de lait

1. Mélanger le fromage et le lait dans une casserole de 1½ pinte (1,5 litre).
2. Couvrir et cuire 2 minutes. Bien mélanger.
3. Couvrir à nouveau et faire cuire 2 minutes de plus ou jusqu'à ce que le fromage soit fondu.
4. Garder chaud sur un réchaud de table et servir avec des croustilles de pommes de terre ou de maïs ou avec des crudités.

Canapés diablés

30 à 35 canapés

½ lb (227 g) de boeuf haché
2 c. à table d'oignon émincé
1 c. à thé de catsup

½ c. à thé de moutarde préparée
⅛ de c. à thé de raifort préparé
1 pain de fantaisie au seigle

1. Combiner la viande, l'oignon, le catsup, la moutarde et le raifort. Bien mélanger. Mettre à peu près 1 c. à thé de ce mélange sur chaque tranche de pain.
2. Cuire 1½ à 2 minutes selon le goût.

Les amuse-gueule à la viande

A peu près 72

1 livre (455 g) de boeuf haché
½ livre (227 g) de porc haché
1 petit oignon émincé
1 tasse de lait
1 oeuf légèrement battu

1 tasse de chapelure
1 c. à thé de sel
¼ de c. à thé de poivre
¼ de c. à thé de quatre épices
(*allspice*)

1. Mêler bien tous les ingrédients dans un grand bol à mélanger. Former en petites boules d'à peu près 1 pouce (2,5 cm) de diamètre.
2. Déposer la moitié des boulettes en un seul rang sur un plat à cuisson oblong.
3. Cuire pendant 3 minutes. Retourner les boulettes. En faire la rotation de sorte que les boulettes du bord soient au centre et vice-versa.
4. Faire cuire 1½ minute de plus ou jusqu'à ce que la viande ait perdu sa couleur rougeâtre et soit bien cuite.
5. Déposer dans un plat à réchaud afin de maintenir la chaleur.
6. Faire cuire le reste des boulettes de la même façon.
7. Servir avec des cure-dents. Accompagner d'une sauce si vous le désirez.

Les Soupes
et Potages

De la soupe à n'importe quelle heure du jour, ça se fait en un tournemain grâce à votre four à micro-ondes. Les soupes déjà préparées peuvent être réchauffées dans la soupière; ça va vite et vous n'avez qu'un plat à laver. C'est également un jeu de préparer une grande variété de soupes et potages et aussi, c'est l'occasion d'utiliser vos restes.

Crème de champignons

2 tasses de champignons frais
hachés

½ c. à thé de poudre d'oignon

⅛ de c. à thé de poudre d'ail

⅛ de c. à thé de poivre blanc

¼ de c. à thé de sel

2½ tasses de bouillon de poulet

1 tasse de crème épaisse

1. Mélanger les champignons, les assaisonnements et le bouillon dans une casserole de 2 pintes (2 litres).
2. Cuire environ 4 minutes. Remuer une fois pendant la cuisson.
3. Ajouter la crème.
4. Chauffer 1 minute de plus.

Crème de poulet à la grecque

3 portions

1 boîte (10½ oz ou 297 g) de
crème de poulet concentrée,
non diluée

Une quantité égale de lait

1 piment rouge doux haché

¼ de tasse d'olives noires

½ c. à thé de curcuma

1. Mélanger tous les ingrédients dans un plat à four ou une tasse-mesure de 1 pinte (1 litre).
2. Faire cuire 3 minutes. Remuer avant de servir.

Crème soudanaise

6 portions

1 boîte (10½ oz ou 297 g) de
crème de tomates concentrée,
non diluée

1 boîte (10½ oz ou 297 g) de
potage aux pois concentré, non
dilué

½ tasse de crème épaisse

3 c. à table de sherry

1. Mettre les deux soupes et 1½ boîte d'eau dans un bol de 1½ pinte (1,5 litre). Bien mélanger.
2. Chauffer 2 minutes.
3. Ajouter la crème et le sherry.
4. Chauffer 1½ minute de plus et servir.

Soupe aux gouttes d'oeuf

4 portions

2 boîtes (14 oz ou 397 g chacune)
de bouillon de poulet

1 c. à table de fécule de maïs

1 boîte (4 oz ou 112 g) de
châtaignes d'eau coupées en dés

2 échalotes entières, hachées

2 oeufs légèrement battus

Sel au goût

1. Mettre le bouillon de poulet dans une casserole de 1½ pinte (1,5 litre).
2. Faire cuire à couvert 4 minutes.
3. Mélanger la fécule de maïs avec 2 c. à table d'eau. Ajouter le bouillon chaud ainsi que les châtaignes d'eau et les échalotes.
4. Couvrir et cuire à peu près 2 minutes ou jusqu'à ce que la soupe soit bien claire.
5. Retirer et ajouter les oeufs battus en les fouettant vivement. Goûter et saler si c'est nécessaire.

AUX PAGES SUIVANTES: à gauche, Bouillabaisse, page 26; à droite, Potage de pois et champignons, page 28.

Crème à l'indienne
6 portions

2 boîtes (10½ oz ou 297 g chacune)
 de crème de céleri concentrée,
 non diluée
Une quantité égale de lait

1 c. à thé de poudre de cari
2 pommes de grosseur moyenne,
 pelées, vidées, et coupées en
 dés

1. Placer la crème dans un bol à cuisson de 2 pintes (2 litres). Ajouter le lait et la poudre de cari et bien mélanger.
2. Faire chauffer à peu près 3 minutes.
3. Ajouter les pommes et cuire 30 secondes de plus.

Potage Parmentier
4 portions

3 tasses de pommes de terre
 pelées et coupées en dés
¼ de tasse d'oignon haché
¼ de c. à thé de sel
1 boîte (14 oz ou 397 g) de
 bouillon de poulet

1 bouquet de persil, haché
2 c. à table de fécule de maïs
1½ à 2 tasses de lait

1. Combiner les pommes de terre, l'oignon, le sel et le bouillon de poulet dans une casserole de 2 pintes (2 litres). Ajouter le persil.
2. Couvrir et faire cuire de 13 à 15 minutes ou jusqu'à ce que les pommes de terre soient tendres.
3. Délayer la fécule de maïs dans un peu de lait froid. Ajouter aux pommes de terre ainsi que le reste du lait.
4. Cuire à découvert à peu près 3 minutes ou jusqu'à ébullition. Agiter une ou deux fois pendant la cuisson.

23

Potage au fromage
4 portions

2½ tasses de bouillon de boeuf
½ tasse d'oignon haché
½ c. à thé de poudre de céleri

1½ tasse de fromage Cheddar fort
 râpé

1. Dans une terrine de 2 pintes (2 litres), mélanger le bouillon, l'oignon et la poudre de céleri.
2. Faire cuire 3 minutes.
3. Ajouter le fromage. Bien mélanger.
4. Faire chauffer 30 secondes ou jusqu'à ce que le fromage fonde.
5. Bien mélanger avant de servir.

Potage froid aux concombres
4 portions

2 tasses de bouillon de poulet
3 gros concombres
½ c. à thé de sel

¼ de c. à thé de poivre blanc
1 c. à table d'oignon râpé
1 tasse de crème légère

1. Verser le bouillon dans une cocotte de 2 pintes (2 litres).
2. Peler et couper en dés 2½ concombres. Ajouter au bouillon ainsi que le sel, le poivre et l'oignon.
3. Faire cuire de 4 à 5 minutes ou jusqu'à ce que les concombres soient tendres.
4. Retirer du four et mettre en purée. Laisser rafraîchir.
5. Ajouter la crème et réfrigérer.
6. Avant de servir, couper le demi-concombre qui reste en tranches très minces. Garnir le potage avec les tranches de concombres.

Consommé de base à la dinde

2 pintes (2 litres)

La carcasse d'une dinde de 10 livres
  (5 kg)
2 branches de céleri avec feuilles
1 petit oignon

1 c. à thé de sel
½ c. à thé de grains de poivre
Une pincée de fines herbes

1. Briser la carcasse nettoyée et placer avec les pattes et les ailes dans une soupière de 3 à 4 pintes (3 à 4 litres). Ajouter les autres ingrédients. Remplir d'eau la moitié de la casserole.
2. Couvrir et faire cuire de 30 à 45 minutes.
3. Couler et réfrigérer.

Potage aux carottes

5 à 6 portions

4 tranches de bacon
1 boîte (1 lb ou 455 g) de carottes
  en dés

1 c. à table d'oignon râpé
¼ de tasse de céleri haché fin
2 tasses de bouillon de poulet

1. Faire cuire le bacon selon les instructions données à la page 60. Emietter et mettre de côté.
2. Mettre les carottes avec leur liquide dans un plat à four de 2 pintes (2 litres). Ajouter l'oignon, le céleri, et le bouillon. Bien mélanger.
3. Faire chauffer à peu près 3 minutes.
4. Garnir de bacon au moment de servir.

Note: Au gré, on peut aussi ajouter trois oeufs durs hachés en même temps que le bacon.

26

Bouillabaisse

8 portions

1 gros oignon haché
1 piment vert moyen, épépiné et
  haché
½ tasse de céleri tranché mince
3 gousses d'ail émincées
3 c. à table d'huile d'olive
1 boîte (3 lb 3 oz ou 1,45 kg) de
  tomates italiennes pelées avec
  leur purée
1 boîte (8 oz ou 227 g) de sauce
  aux tomates
1 c. à thé de basilic
1 feuille de laurier

1 c. à thé de sel
¼ de c. à thé de poivre
1 livre (455 g) de poisson blanc
1 douzaine de palourdes (*little-neck*) ou de moules dans leurs
  écailles
1½ tasse de vin blanc sec
½ livre (227 g) de crevettes
  fraîches, nettoyées et
  déveinées
½ livre (227 g) de pétoncles
Persil haché

1. Mettre l'oignon, le piment vert, le céleri, l'ail et l'huile d'olive dans une casserole de 4 pintes (4 litres).
2. Faire cuire environ 5 minutes ou jusqu'à ce que l'oignon soit tendre.
3. Ajouter les tomates écrasées à la fourchette. Ajouter ensuite la sauce aux tomates, le basilic, la feuille de laurier, le sel et le poivre.
4. Couvrir et cuire 15 minutes.
5. Pendant que la sauce mijote, couper le poisson en morceaux et brosser les moules ou les palourdes pour en enlever tout le sable.

6. Ajouter le poisson blanc, le vin, les crevettes et les pétoncles à la sauce. Faire mijoter 10 minutes.
7. Placer les coquillages en un seul rang sur le mélange. Faire cuire jusqu'à ce que les coquillages soient ouverts.
8. Servir dans de grandes assiettes à soupe et garnir de persil. Accompagner de pain français.

Chaudrée de palourdes à l'américaine   3 à 4 portions

2 tranches de bacon
1 boîte (7 oz ou 198 g) de palourdes émincées et leur liquide
1 grosse pomme de terre, pelée et coupée en petits cubes

¼ de tasse d'oignon émincé
1 boîte (13 oz ou 369 g) de lait évaporé
Sel et poivre au goût
1 c. à table de beurre

1. Etendre les tranches de bacon dans le fond d'une soupière de 2 pintes (2 litres). Recouvrir d'une feuille de papier absorbant.
2. Faire cuire 1½ à 2 minutes, ou jusqu'à ce que le bacon soit croustillant.
3. Enlever le papier et le bacon. Emietter le bacon. Mettre de côté.
4. Ajouter les palourdes et leur liquide à la graisse de bacon ainsi que la pomme de terre, l'oignon et ½ tasse d'eau.
5. Couvrir et faire cuire à couvert 8 minutes ou jusqu'à ce que les morceaux de pomme de terre soient tendres. Remuer 1 ou 2 fois pendant la cuisson.
6. Ajouter le lait, le bacon, le sel et le poivre ainsi que le beurre.
7. Couvrir et chauffer 2 à 3 minutes ou jusqu'à ébullition.
8. Laisser reposer 2 minutes. Servir avec des biscuits soda.

27

Potage aux haricots rouges   6 portions

8 tranches de bacon
2 c. à table de graisse de bacon
1 gros oignon en dés
1 gousse d'ail écrasée
2 boîtes (27 oz ou 767 g chacune) de haricots rouges

½ c. à thé de sel
1 boîte (8 oz ou 227 g) de sauce aux tomates

1. Faire cuire le bacon selon le mode d'emploi à la page 60. Emietter et mettre de côté.
2. Mettre la graisse de bacon dans un plat à cuisson de 2 pintes (2 litres). Ajouter l'oignon et l'ail. Couvrir et faire cuire 2 minutes.
3. Ajouter ½ tasse d'eau et les autres ingrédients, y compris le liquide des haricots en conserve. Bien mélanger.
4. Couvrir et faire cuire 5 à 6 minutes de plus.
5. Mettre le potage dans un mélangeur électrique, la moitié à la fois, et mélanger jusqu'à consistance de purée. Remettre dans la casserole. Si le potage est trop épais ajouter un peu d'eau.
6. Faire chauffer 2 minutes. Ajouter le bacon juste avant de servir.

Potage de pois et champignons

4 à 6 portions

1 boîte (2 oz ou 58 g) de
champignons en morceaux
1 c. à table de beurre ou
margarine

2 boîtes (11½ oz ou 326 g
chacune) de potage aux pois
verts concentré, non dilué
1 tasse de carottes crues râpées

1. Egoutter les champignons. Verser leur liquide dans une tasse-mesure. Ajouter assez d'eau pour faire 2 tasses de liquide.
2. Faire fondre le beurre 30 secondes dans une casserole de 1½ à 2 pintes (1,5 à 2 litres). Ajouter les champignons égouttés.
3. Faire chauffer de 3 à 4 minutes.
4. Ajouter le potage et le liquide. Bien mélanger. Ajouter les carottes râpées.
5. Couvrir et cuire 5 à 6 minutes ou jusqu'à ce que les carottes soient tendres.
6. Goûter et assaisonner au besoin. Servir avec des croûtons ou craquelins.

Crème printanière

4 portions

1 paquet (10 oz ou 283 g) de petits
pois congelés
3 tasses de bouillon de poulet

6 échalotes fraîches tranchées
¼ de c. à thé de poivre blanc
½ tasse de crème épaisse

1. Mettre les pois dans une casserole de 1½ pinte (1,5 litre). Ajouter le bouillon, les échalotes et le poivre.
2. Couvrir et faire cuire de 5 à 6 minutes en remuant une fois pendant la cuisson.*
3. Ajouter la crème. Goûter et ajouter du sel si nécessaire.
4. Faire chauffer 30 secondes.

28

*A ce point, on peut, si on le désire, mettre les pois en purée et passer à l'étape 3.

Soupe au chili

6 portions

¾ de livre (340 g) de boeuf haché
1 oignon de grosseur moyenne
haché fin
1 gousse d'ail émincée
2 c. à table de piment vert haché
1 boîte (1 lb ou 455 g) de tomates
prunes pelées

2 tasses de jus de tomates
1 c. à thé de sel
⅛ de c. à thé de sucre
2 c. à thé de poudre de chili

1. Mettre le boeuf, l'oignon, l'ail et le piment vert dans un plat à four de 2 pintes (2 litres).
2. Couvrir et cuire 4 minutes.
3. Retirer le plat du four et remuer pour séparer le boeuf haché.
4. Ajouter les tomates et leur liquide tout en remuant pour défaire les tomates.
5. Ajouter les autres ingrédients. Bien mélanger.
6. Couvrir et faire chauffer 3 minutes de plus.

Les Viandes

Les rôtis, les côtelettes, le boeuf haché, et les découpes de viande tendre cuisent merveilleusement dans le four à micro-ondes. Par contre, les bas morceaux qui demandent une cuisson prolongée à feu doux réussiront mieux sur une cuisinière ou dans le four conventionnel.

Une grosse pièce de viande, surtout si elle est de forme irrégulière, devrait être tournée en tous sens afin d'assurer un rôtissage uniforme. Si certaines parties semblent trop cuire, il faut les couvrir de morceaux de papier d'aluminium afin de ralentir ou d'arrêter la cuisson à ces endroits. Il est important de retirer le rôti du four à micro-ondes avant que la cuisson ne soit complétée, car il continue à cuire en dehors du four. Laissez-le reposer jusqu'à ce que vous obteniez le degré de cuisson désiré. Si le rôti n'atteint pas le degré de cuisson voulu, il suffit tout simplement de le remettre au four à micro-ondes quelques minutes de plus.

Rôti d'entrecôte

8 à 10 portions

1 rôti d'entrecôte de 4 à 5 livres (2 à 2,25 kg)

1 gousse d'ail coupée en pointes
Sel assaisonné (facultatif)

1. Placer une soucoupe renversée dans le fond d'un plat à four. Inciser la viande et insérer une pointe d'ail dans chaque entaille. Saupoudrer le rôti de sel assaisonné. Placer le côté gras du rôti sur la soucoupe.
2. Cuire à découvert environ 2½ minutes par livre pour une viande saignante et 3¼ minutes par livre pour une viande médium.
3. Retourner la pièce de viande. Couvrir avec un papier ciré afin de prévenir les éclaboussures de gras sur les parois du four. Cuire 2½ minutes par livre de plus pour saignant, 3¼ minutes par livre pour médium.
4. Retirer le rôti. Insérer un thermomètre jusqu'au centre de la viande pour vérifier la température. Eviter de percer la partie grasse.
5. Recouvrir entièrement le rôti avec du papier d'aluminium et laisser reposer environ 15 minutes afin que le rôti atteigne la température voulue. Ceci facilitera aussi le découpage.

Rôti de côtes

6 à 8 portions

1 rôti de 2 ou 3 côtes de boeuf
1 gousse d'ail coupée en pointes

Sel au goût

1. Placer une soucoupe renversée dans le fond d'un plat à four oblong. Faire des incisions dans le boeuf avec un couteau pointu et insérer une pointe d'ail dans chacune. Saler. Placer le rôti, partie grasse dessous, sur la soucoupe dans le plat à cuire. Couvrir les os avec un petit morceau de papier d'aluminium.
2. Cuire à découvert environ 2½ minutes par livre pour une viande saignante et 3¼ minutes par livre pour une viande médium.
3. Enlever le papier d'aluminium. Retourner les côtes. Couvrir le rôti avec un papier ciré afin d'éviter les éclaboussures de gras sur les parois du four. Cuire à découvert environ 2½ minutes par livre pour saignant, 3¼ minutes par livre pour médium.
4. Retirer le rôti, insérer un thermomètre dans la partie épaisse de la viande en s'assurant qu'il ne touche aucun os.
5. Si la lecture est exacte, couvrir entièrement le rôti de papier d'aluminium et laisser reposer au moins 15 minutes afin d'obtenir la température désirée et de faciliter le découpage. Si la température désirée n'est pas atteinte, retirer le thermomètre et retourner la viande au four pour 1 à 2 minutes.

Temps de cuisson pour le rôti d'entrecôte et le rôti de côtes

Note: Il n'est pas recommandé de faire cuire la viande plus que médium au four à micro-ondes. Si la viande a reposé à la température ambiante pendant une heure ou plus, diminuer le temps côté cuisson de ½ minute par livre (1 minute par kilo).

	Saignant
5½ minutes par livre	Température interne: 120° F. (49° C)
ou	atteindra
12 minutes par kilo	140° F. (60° C) au repos
	Médium
6½ minutes par livre	Température interne: 140° F. (60° C)
ou	atteindra
14,3 minutes par kilo	160° F. (71° C) au repos

AUX PAGES SUIVANTES: *à gauche,* Rôti de côtes, page 30; *à droite,* Tacos au boeuf, page 47.

Décongélation d'un rôti de noix de ronde

1 rôti de noix de ronde de 3½ à 4 livres (1,5 à 1,8 kg)

1. Placer le rôti dans une cocotte à couvercle.
2. Chauffer 4 minutes, en tournant la cocotte après 2 minutes. Laisser reposer 10 minutes.
3. Chauffer 4 minutes, en tournant la cocotte après 2 minutes. Laisser reposer 10 minutes.
4. Chauffer 2 minutes, en tournant la cocotte après 1 minute. Laisser reposer 10 minutes.
5. Chauffer 2 minutes, en tournant la cocotte après 1 minute. Laisser reposer 10 minutes.
6. Cuire aussitôt que possible étant donné qu'une partie de la viande a déjà commencé à cuire pendant la décongélation.

Rosbif de noix de ronde   8 portions

3½ à 4 livres (1,5 à 1,8 kg) de noix de ronde   **Sel et poivre**

1. Mettre 1 ou 2 soucoupes renversées dans le fond d'une rôtissoire oblongue. Placer la partie grasse du rôti sur les soucoupes.
2. Cuire, recouvert de papier ciré, 10 minutes.
3. Retourner la pièce de viande. Enlever l'excès de gras fondu. Replacer le papier ciré.
4. Cuire 15 minutes, ou jusqu'à ce que la température interne de la viande atteigne 125° F. (51,5° C).
5. Enlever le papier ciré. Couvrir de papier d'aluminium et laisser reposer 15 à 20 minutes ou jusqu'à ce que la température atteigne 145° F. (62,9° C) pour médium saignant.
6. Assaisonner de sel et poivre au goût; trancher et servir.

31

Temps de cuisson pour rôti de ronde

Saignant	Médium	Cuit
5 minutes par livre	6 minutes par livre	8 minutes par livre
ou	ou	ou
11 minutes par kg	13, 8 minutes par kg	17, 6 minutes par kg

Décongélation du steak de surlonge

1 steak de surlonge de 1½ pouce (3,8 cm) d'épaisseur

1. Placer le steak sur un plat de 3 pintes (3 litres). Recouvrir de film plastique.
2. Faire chauffer 3 minutes. Laisser reposer 10 minutes.
3. Retourner le steak et couvrir du film plastique.
4. Chauffer 3 minutes. Laisser reposer 10 minutes.
5. Retourner le steak. Couvrir. Laisser reposer 10 minutes de plus, ou jusqu'à ce que le steak soit décongelé et prêt à griller.

Goulash de boeuf

4 portions

2 livres (910 g) de boeuf à bouillir coupé en cubes de 1 pouce (2,5 cm)

3 à 4 grosses tomates

1 oignon haché grossièrement

1 c. à thé de sel

½ c. à thé de poivre frais moulu

1 tasse de crème sure (facultatif)

1. Placer le boeuf dans une cocotte de 2 à 3 pintes (2 à 3 litres).
2. Peler les tomates, en enlever les coeurs et les couper en morceaux. Placer dans la cocotte avec le boeuf, l'oignon, le sel et le poivre. Mélanger légèrement.
3. Couvrir et cuire 35 à 40 minutes, ou jusqu'à ce que la viande soit tendre. Remuer de temps en temps pendant la cuisson.
4. Si désiré, incorporer la crème sure au mélange et laisser reposer à couvert 5 minutes.

Note: Excellent servi avec des nouilles aux oeufs.

Fricassée de boeuf vite faite

4 portions

1 paquet (10 oz ou 283 g) de haricots verts à la française, congelés

1 livre (455 g) de boeuf à ragoût coupé en cubes

1 gros oignon haché

1 boîte (10½ oz ou 297 g) de crème de tomates concentrée, non diluée

2 tasses de nouilles aux oeufs cuites

Sel et poivre

34

1. Placer les haricots dans un plat à cuisson de 1 pinte (1 litre).
2. Couvrir et cuire environ 5 minutes. Mettre de côté.
3. Mêler les cubes de boeuf et l'oignon dans un plat de 2 à 3 pintes (2 à 3 litres).
4. Couvrir de papier ciré et cuire de 5 à 6 minutes, en remuant au milieu de la cuisson.
5. Ajouter aux cubes de boeuf, la crème de tomates, ½ tasse d'eau, les nouilles et les haricots. Remuer légèrement et assaisonner de sel et poivre au goût.
6. Couvrir et cuire de 5 à 6 minutes.
7. Remuer et laisser reposer, à couvert, 3 à 4 minutes avant de servir.

Petites côtes de boeuf

4 portions

2 livres (910 g) de bouts de côtes de boeuf charnues

1 gousse d'ail émincée

½ c. à thé de sel

½ tasse de vin rouge sec

1 c. à table de condiment liquide pour les sauces

Persil haché

1. Disposer les petites côtes dans une casserole de 2 à 3 pintes (2 à 3 litres). Saupoudrer d'ail et de sel. Mélanger le vin et le condiment liquide. Verser sur les côtes.
2. Cuire à couvert 15 à 18 minutes ou jusqu'à ce que la viande soit tendre, en remuant une ou deux fois pendant la cuisson.
3. Retirer du four et laisser reposer 5 minutes.

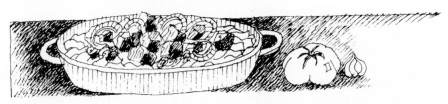

AUX PAGES SUIVANTES: *à gauche,* Ragoût de boeuf, page 35; *à droite,* Brochettes de boeuf, page 38.

Bifteck suisse   4 portions

¼ **de tasse de farine tout usage**	1 **gros oignon haché**
1 **c. à thé de sel**	1 **boîte (10½ oz ou 297 g) de**
¼ **de c. à thé de poivre**	**crème de tomates concentrée,**
1½ **à 2 livres (675 à 900 g) de**	**non diluée**
bifteck de ronde	

1. Mélanger la farine, le sel et le poivre. Placer le bifteck sur une planche et faire pénétrer la moitié du mélange de farine de chaque côté en tapant avec le dos d'un couteau pesant. Couper la viande en 4 morceaux et placer dans un plat à cuire de 8 pouces (20 cm). Saupoudrer le reste de farine sur la viande. Etendre l'oignon sur la viande. Incorporer ½ tasse d'eau à la crème de tomates. Verser sur le bifteck.
2. Cuire à couvert 30 à 35 minutes ou jusqu'à ce que la viande soit tendre. Remuer la sauce et la viande plusieurs fois durant la cuisson et ajouter de l'eau au besoin.

Bifteck à l'oignon   4 portions

¼ **de tasse de farine tout usage**	½ **paquet (1⅓ oz ou 30 g) de**
1 **c. à thé de sel**	**préparation pour soupe à**
¼ **de c. à thé de poivre**	**l'oignon**
1½ **à 2 livres (675 à 900 g) de**	
bifteck de ronde	

1. Mélanger la farine, le sel et le poivre. Placer le bifteck sur une planche et faire pénétrer la moitié du mélange de farine de chaque côté à l'aide du dos d'un couteau pesant. Couper la viande en 4 morceaux et placer dans un plat à cuire de 8 pouces (20 cm). Saupoudrer le reste de farine sur le dessus de la viande. Diluer la préparation pour soupe à l'oignon dans 1 tasse d'eau. Verser sur la viande.
2. Cuire à couvert de 30 à 35 minutes ou jusqu'à ce que la viande soit tendre. Remuer la viande et arroser de sauce fréquemment durant la cuisson.

35

Ragoût de boeuf   4 à 6 portions

2 **livres (910 g) de boeuf à bouillir coupé en cubes de 1 pouce (2,5 cm)**	3 **branches de céleri coupées en morceaux**
½ **c. à thé de sel**	3 **carottes moyennes coupées en dés**
1 **enveloppe (1½ oz ou 43 g) de préparation pour sauce brune aux champignons**	2 **pommes de terre pelées et coupées en huit**

1. Mettre les cubes de boeuf dans une casserole de 2 à 3 pintes (2 à 3 litres). Saler. Mélanger l'enveloppe de préparation pour sauce avec 1 tasse d'eau et bien remuer. Verser sur la viande.
2. Cuire à couvert environ 20 minutes ou jusqu'à ce que la viande soit presque tendre.
3. Ajouter le céleri, les carottes et les pommes de terre et mélanger légèrement de façon à couvrir les légumes de sauce. Ajouter de l'eau pour une sauce plus claire et un peu plus de sel pour les légumes si désiré.
4. Cuire à couvert de 12 à 15 minutes ou jusqu'à ce que les légumes et la viande soient tendres.
5. Retirer du four et laisser reposer 5 minutes.

Brochettes de boeuf

6 à 8 portions

½ tasse de vinaigre de vin
½ tasse d'huile végétale
1 c. à thé de sel d'oignon
1 gousse d'ail, coupée en deux
¼ de tasse de sauce soya
2 c. à thé d'assaisonnement italien
2 livres (910 g) de boeuf désossé dans la ronde ou la surlonge

½ livre (227 g) de petits champignons frais
12 quartiers de tomates ou 12 tomates cerises
1 piment vert épépiné et coupé en carrés de 1 pouce (2,5 cm)

1. Combiner le vinaigre, l'huile, le sel d'oignon, l'ail, la sauce soya, l'assaisonnement italien, et ½ tasse d'eau dans un bol à mélanger. Couper le boeuf en cubes de 1 pouce (2,5 cm). Ajouter à la marinade et laisser reposer de 5 à 6 heures à la température ambiante.
2. Alterner les cubes de viande et les légumes au goût sur de longues brochettes de bois.
3. Cuire à découvert environ 3 minutes pour obtenir médium saignant. Cuire un peu plus longtemps pour une viande bien cuite.

Note: La marinade ajoute une belle couleur brune à la viande.

Boeuf aux piments

4 portions

2 c. à table d'huile végétale
1 livre (455 g) de bifteck d'intérieur de ronde ou de surlonge coupé en languettes
1 oignon moyen haché fin
1 gousse d'ail émincée
1 c. à thé de sel

⅛ de c. à thé de poivre
1 boîte (1 lb ou 455 g) de tomates, écrasées
2 gros piments verts, épépinés et coupés en lanières
2 c. à table de sauce soya

1. Verser l'huile dans une cocotte ou un plat à cuire de 2 à 3 pintes (2 à 3 litres). Ajouter les languettes de boeuf et remuer légèrement afin d'enduire la viande d'huile. Ajouter l'oignon, l'ail, le sel, et le poivre.
2. Cuire à couvert environ 5 minutes en remuant une ou deux fois pendant la cuisson.
3. Ajouter les tomates. Cuire à couvert 4 minutes en remuant une fois pendant la cuisson.
4. Ajouter les lanières de piment et la sauce soya et mêler bien.
5. Cuire à couvert 4 à 5 minutes, ou jusqu'à ce que le piment soit tendre mais encore croquant.
6. Servir avec du riz ou des nouilles chow mein.

Décongélation du boeuf haché

1 livre (455 g) de boeuf haché congelé en forme de carré d'à peu près 1 pouce d'épaisseur (2,5 cm)

1. Déposer la viande dans un plat à four carré de 8 pouces (20 cm).
2. Chauffer 2 minutes. Laisser reposer 1 minute.
3. Chauffer de nouveau 1 minute. Laisser reposer 1 minute.
4. A l'aide d'une fourchette, détacher les parties dégelées. Mettre ces parties de côté dans une terrine en dehors du four afin qu'elles ne cuisent pas.
5. Chauffer la viande encore congelée 30 secondes. Laisser reposer 1 minute.
6. Détacher la viande dégelée et mettre de côté.
7. Chauffer la partie congelée 30 secondes. Laisser reposer 1 minute.
8. La viande devrait maintenant être complètement dégelée et prête à être utilisée dans tout plat de boeuf haché, tel que boulettes de viande ou pain de viande. Une fois la viande décongelée, elle devrait être utilisée immédiatement.

2 livres (910 g) de boeuf haché congelé en forme de carré

1. Déposer la viande dans un plat à four carré de 8 pouces (20 cm).
2. Chauffer 2 minutes. Laisser reposer 1 minute.
3. Chauffer de nouveau 1 minute. Laisser reposer 1 minute.
4. A l'aide d'une fourchette, détacher les parties dégelées. Mettre ces parties de côté dans une terrine en dehors du four afin qu'elles ne cuisent pas.
5. Chauffer la viande encore congelée 1 minute. Laisser reposer 1 minute.
6. Détacher la viande dégelée et mettre de côté.
7. Chauffer la partie congelée 1 minute. Laisser reposer 1 minute.
8. Si la viande n'est pas complètement dégelée à ce moment, chauffer 1 minute.
9. Une fois la viande décongelée. elle devrait être utilisée immédiatement.

39

Boulettes aux noix   4 portions

1 livre (455 g) de boeuf maigre haché	**2 c. à table de persil haché**
1 oeuf légèrement battu	**½ c. à thé de sel**
¼ de tasse de lait	**Poivre frais moulu, au goût**
½ tasse de mie de pain	**1 boîte (10½ oz ou 297 g) de**
½ tasse de pacanes hachées	**crème de tomates concentrée, non diluée**

1. Mélanger le boeuf haché avec l'oeuf, le lait, la mie de pain, les pacanes, le persil, le sel, et le poivre. Former 24 boulettes. Disposer sur un plat à four oblong.
2. Couvrir et faire cuire 4 minutes.
3. Retourner les boulettes et faire cuire 2 minutes de plus.
4. Enlever le jus de cuisson. Ajouter la soupe aux tomates. Mélanger quelque peu. Couvrir et faire cuire 3 minutes en remuant une ou deux fois pendant la cuisson.
5. Laisser reposer 5 minutes avant de servir.
6. Servir sur un lit de pommes de terre en purée.

CI-CONTRE: Boeuf aux piments, page 38.

Boulettes de viande à l'oignon 6 portions

1½ **livre (682 g) de boeuf maigre haché**
½ **tasse de lait**
1 **paquet (1¼ oz ou 36 g) de préparation pour soupe à l'oignon**

3 **c. à table de farine tout usage**
2 **c. à table de persil haché**
½ **tasse de crème sure commerciale**

1. Mettre dans un grand bol la viande hachée, le lait, et 2 c. à table de la préparation pour soupe à l'oignon. Mélanger le tout et former 24 boulettes. Placer dans un plat à four oblong de 3 pintes (3 litres).
2. Couvrir et faire cuire 4 minutes.
3. Retourner les boulettes. Couvrir et cuire 2 minutes.
4. Retirer les boulettes de viande. Incorporer la farine au fond de sauce. Ajouter 1½ tasse d'eau, le persil, et ce qui reste du paquet de soupe à l'oignon.
5. Cuire à découvert 3 ou 4 minutes, ou jusqu'à ébullition.
6. Remettre les boulettes de viande dans la sauce. Couvrir et cuire 5 minutes. Remuer de temps à autre pendant la cuisson.
7. Ajouter graduellement la crème sure. Couvrir et laisser reposer 5 minutes.
8. Servir sur un lit de riz ou de nouilles.

Boulettes de viande à la Stroganoff 5 à 6 portions

¾ **de tasse de lait**
3 **tranches de pain coupées en dés**
1 **livre (455 g) de boeuf haché**
1 **oeuf légèrement battu**
3 **c. à table d'oignon râpé**
3 **c. à table de persil séché**
1 **c. à thé de sel**

Poivre frais moulu, au goût
3 **c. à table de farine**
1½ **tasse de consommé ou bouillon de boeuf**
1 **c. à table de pâte de tomates**
¼ **de c. à thé de paprika**
1½ **tasse de crème sure commerciale**

41

1. Verser le lait dans une jatte. Cuire au four environ 1 minute, ou juste assez pour réchauffer le lait.
2. Ajouter les cubes de pain et travailler jusqu'à ce que le pain absorbe le lait.
3. Ajouter le boeuf, l'oeuf, l'oignon, le persil, le sel, et le poivre. Bien mélanger. Façonner en boulettes de 1½ pouce (4 cm) de diamètre. Disposer dans un plat à four oblong de 7½ x 11¾ pouces (18 x 30 cm).
4. Couvrir et cuire pendant 4 minutes.
5. Retourner les boulettes et cuire 2 minutes de plus. Egoutter le jus de cuisson.
6. Bien mélanger la farine et le bouillon jusqu'à ce que le liquide soit lisse. Ajouter la pâte de tomates et le paprika. Verser sur les boulettes.
7. Couvrir et cuire 5 minutes. Remuer souvent pendant les 2 dernières minutes de cuisson.
8. Recouvrir de crème sure et remuer légèrement. Couvrir et laisser reposer 5 minutes.
9. Servir avec du riz ou des nouilles au beurre.

Pain de viande aux fines herbes

2 oeufs légèrement battus
¼ de tasse de chapelure
1 c. à table de persil haché
¼ de tasse de ciboulette ou
d'oignon haché
1 c. à thé de basilic
¼ de tasse de piment vert haché

1½ c. à thé de sel
½ c. à thé de poivre
1 livre (455 g) de boeuf haché
½ livre (227 g) de veau haché
½ livre (227 g) de porc maigre
haché

1. Bien mélanger tous les ingrédients sauf la viande. Ajouter la viande et travailler juste assez pour bien incorporer tous les ingrédients.
2. Former en cercle et déposer dans une assiette à tarte de 8 pouces (20 cm). Ménager un creux au milieu du pâté.
3. Faire cuire 18 minutes, ou jusqu'à ce que le centre soit cuit.
4. Retirer du four. Couvrir la viande et laisser reposer 10 minutes avant de servir.
5. Servir au gré avec une sauce aux champignons ou aux tomates.

Note: Il faut faire bien attention lorsque l'on découpe le pain de viande car le jus a tendance à jaillir quand le couteau est inséré dans la viande.

Pain de viande favori

1 boîte (8 oz ou 227 g) de sauce
aux tomates
¼ de tasse de cassonade
¼ de tasse de vinaigre
1 c. à thé de moutarde préparée
1 oeuf légèrement battu

1 oignon moyen émincé
¼ de tasse de miettes de biscuits
soda
2 livres (910 g) de boeuf haché
1½ c. à thé de sel
¼ de c. à thé de poivre

1. Mélanger la sauce aux tomates, la cassonade, le vinaigre, et la moutarde dans un bol. Mettre de côté.
2. Dans un bol, mélanger l'oeuf, l'oignon, les miettes de biscuits, la viande hachée, le sel, et le poivre. Ajouter ½ tasse de sauce aux tomates et bien amalgamer. Façonner un pâté ovale et placer dans un plat à cuisson oblong. Faire un creux sur le dessus du pâté. Verser le reste de sauce aux tomates sur le tout.
3. Cuire de 20 à 30 minutes, ou jusqu'à ce que la viande du centre soit bien cuite.
4. Couvrir et laisser reposer 10 minutes avant de servir.

Pain de viande aux légumes

1 boîte (10½ oz ou 297 g) de
soupe aux légumes concentrée,
non diluée
2 livres (910 g) de boeuf maigre
haché
½ tasse de chapelure fine
½ tasse d'oignon haché
2 c. à table de persil haché

1 c. à table de sauce
Worcestershire
1 oeuf légèrement battu
1 c. à thé de sel
Poivre frais moulu, au goût
4 tranches de tomates
½ tasse de fromage canadien
fondu râpé

1. Combiner la soupe, le boeuf, la chapelure, l'oignon, le persil, la sauce Worcestershire, l'oeuf, le sel et le poivre. Bien mélanger. Faconner un pain de forme ovale et faire un creux au milieu du pain.

AUX PAGES SUIVANTES: *à gauche,* Chili con carne, page 46; *à droite,* Agneau au cari, page 51.

2. Cuire, recouvert d'un morceau de papier ciré, 18 à 20 minutes, ou jusqu'à ce que le centre du pain soit cuit.

3. Disposer des tranches de tomates et de fromage sur le dessus du pain. Cuire à découvert 2 à 3 minutes.

4. Laisser reposer 5 minutes avant de servir.

Pain de viande du chef   6 portions

2 c. à table de vin rouge sec	2 c. à table d'oignon émincé
2 c. à table de lait	¾ de c. à thé de sel
1 tasse de mie de pain	Poivre moulu, au goût
2 livres (910 g) de boeuf maigre haché	½ c. à thé de moutarde sèche
	½ c. à thé de fines herbes
1 oeuf légèrement battu	

1. Mettre le vin, le lait, et la mie de pain dans un bol à mélanger. Laisser reposer quelques minutes jusqu'à ce que le pain ait absorbé le liquide. Ajouter le boeuf, l'oeuf, l'oignon, le sel et le poivre, la moutarde, et les fines herbes. Mélanger. Presser le mélange dans un moule à pain de 8 x 4 x 3 pouces (20 cm x 10 cm x 7,5 cm).

2. Couvrir la viande de papier ciré et faire cuire 7 minutes, ou jusqu'à ce que la viande au centre soit bien cuite.

3. Retirer du four et laisser reposer à couvert 5 minutes avant de servir.

Roulades de chou   6 à 8 portions

1 chou d'environ 1½ livre (682 g)	1 c. à table de persil haché
1 livre (455 g) de boeuf haché	1 gousse d'ail émincée
½ livre (227 g) de porc haché	1 c. à table de sel
¾ de tasse de riz cuit	¼ de c. à thé de poivre
1 oeuf légèrement battu	¼ de tasse de beurre ou de margarine
1 c. à thé de thym	

43

1. Enlever le coeur du chou et toutes les feuilles défraîchies. Placer le chou dans une casserole de 3 pintes (3 litres). Remplir d'eau bouillante au quart de la hauteur du chou.

2. Couvrir et cuire 10 minutes.

3. Laisser refroidir. Enlever 6 à 8 grosses feuilles extérieures et couper la partie dure du centre de chaque feuille.

4. Combiner le boeuf, le porc, le riz, l'oeuf, le thym, le persil, l'ail, le sel, et le poivre. Répartir cette préparation sur les feuilles de chou. Rouler chaque feuille.

5. Foncer un moule de 3 pintes (3 litres) avec quelques feuilles de chou. Poser les roulades dessus. Recouvrir avec le reste des feuilles.

6. Beurrer le dessus du plat. Ajouter environ 1½ tasse d'eau bouillante.

7. Couvrir et cuire à peu près 30 minutes ou jusqu'à ce que la viande soit cuite et les roulades tendres à la fourchette.

8. Retirer du four et laisser reposer à couvert 10 minutes.

9. Enlever les feuilles de chou du dessus avant de servir.

Boeuf au brocoli à la chinoise

2 portions

1 grosse tige (ou 2 tiges moyennes) de brocoli
2 c. à table d'huile végétale
½ tasse d'oignon haché grossièrement

1 gousse d'ail émincée
½ livre (227g) de boeuf haché
½ tasse de céleri tranché mince
2 c. à thé de sauce soya
1 c. à table de sherry sec

1. Détacher les fleurettes du brocoli et couper les plus grosses en 2 ou en 4. Peler les tiges et couper en tranches diagonales d'une epaisseur d'environ ½ pouce (1,25 cm). Mettre de côté.
2. Placer l'huile, l'oignon, et l'ail dans un plat à cuisson de 1½ pinte (1,5 litre). Ajouter le boeuf haché.
3. Couvrir et faire cuire 4 minutes.
4. Retirer du four et bien séparer le boeuf à la fourchette. Ajouter le céleri, la sauce soya, le sherry, et le brocoli et remuer.
5. Couvrir et remettre au four 4 minutes ou jusqu'à ce que le brocoli soit à peine tendre.
6. Servir sur un lit de riz, accompagné de sauce soya.

Hachis bourguignon

4 portions

1 livre (455 g) de boeuf haché
½ tasse d'oignon haché
2 c. à table de farine tout usage
1 boîte (10½ oz ou 297 g) de consommé de boeuf concentré, non dilué

½ tasse de vin rouge sec
2 tasses de pommes de terre crues coupées en dés
½ tasse de céleri en dés
Sel et poivre au goût

46

1. Emietter le boeuf haché dans une casserole de 2 pintes (2 litres). Y ajouter l'oignon en mélangeant.
2. Cuire à découvert 3 minutes.
3. Remuer avec une fourchette pour défaire la viande. Cuire environ 2 minutes ou jusqu'à ce que la viande perde sa crudité.
4. Saupoudrer la farine sur la viande. Bien mélanger. Ajouter le consommé et le vin.
5. Couvrir et faire chauffer environ 3 minutes.
6. Ajouter les pommes de terre et le céleri. Assaisonner de poivre et sel au goût.
7. Couvrir et cuire environ 25 minutes, ou jusqu'à ce que les pommes de terre soient tendres.
8. Laisser reposer 5 minutes avant de servir.

Chili con carne

4 portions

1 livre (455 g) de boeuf haché
½ tasse d'oignon haché
1 gousse d'ail émincée
2 à 3 c. à thé de poudre de chili
1 c. à thé de sel

1 boîte (16 oz ou 455 g) de sauce aux tomates
1 boîte (16 oz ou 455 g) de haricots rouges

1. Emietter le boeuf haché dans une casserole de 2 pintes (2 litres). Ajouter l'oignon et l'ail.
2. Cuire à découvert pendant 5 minutes ou jusqu'à ce que la viande perde sa crudité.
3. Ajouter la poudre de chili, le sel, la sauce aux tomates, et les haricots. Couvrir et cuire 10 minutes, ou jusqu'à ce que le mélange soit brûlant. Remuer occasionnellement pendant la cuisson.

AUX PAGES SUIVANTES: *à gauche,* Veau parmigiana, page 54; *à droite,* Côtes découvertes à la barbecue, page 58.

Variation: On peut omettre la poudre de chili et le sel et les remplacer par ½ sachet (1¾ oz ou 49 g) de mélange à chili.

Boeuf aux fèves de Lima   4 à 6 portions

1 livre (455 g) de boeuf maigre haché	½ c. à thé de moutarde sèche
1 gousse d'ail écrasée	2 c. à thé de sauce Worcestershire
1 oignon moyen haché	½ c. à thé de sel
1 petit piment vert épépiné et haché	2 boîtes (1 lb ou 455 g chacune) de fèves de Lima
¼ de c. à thé de poudre de chili	1 boîte (8 oz ou 227 g) de sauce aux tomates

1. Mélanger le boeuf, l'ail, l'oignon, et le piment vert dans un plat de 2 ou 3 pintes (2 ou 3 litres).
2. Cuire à découvert environ 5 minutes, ou jusqu'à ce que le boeuf perde sa crudité. Remuer une ou deux fois pendant la cuisson pour séparer la viande.
3. Ajouter tous les autres ingrédients. Mélanger légèrement.
4. Couvrir et cuire environ 8 minutes. Remuer une fois pendant la cuisson.
5. Laisser reposer à couvert 3 à 4 minutes avant de servir.

Tacos au boeuf   10 à 12 portions

1 livre (455 g) de boeuf hache	¼ de c. à thé de sel d'ail
½ tasse d'oignon haché	10 à 12 tacos tout cuits
1 boîte (8 oz ou 227 g) de sauce aux tomates	Fromage Cheddar râpé
	Laitue échiffée
¼ de c. à thé de poudre de chili	3 ou 4 tomates fraîches hachées
¼ de c. à thé de sel	2 avocats en dés fins

1. Egrener le boeuf dans une casserole de 1 pinte (1 litre). Ajouter l'oignon.
2. Cuire environ 5 minutes ou jusqu'à ce que la viande perde sa crudité, en remuant une fois pendant la cuisson.
3. Ajouter la sauce aux tomates, la poudre de chili, le sel et le sel d'ail.
4. Couvrir la casserole avec du papier absorbant. Faire cuire environ 5 minutes ou jusqu'à ce que la sauce soit épaisse et onctueuse.
5. Mettre une grosse cuillerée de cette préparation dans chaque taco.
6. Mettre les tacos debout dans un plat de verre à parois verticales, les re-couvrir de papier ciré et cuire 1½ à 2 minutes ou jusqu'à ce qu'ils soient brûlants.
7. Servir accompagné de fromage, laitue, tomate et avocat disposés dans des plats de côté.

Boeuf haché à la Stroganoff

4 à 6 portions

1 livre (455 g) de boeuf haché
½ tasse d'oignon émincé
1 gousse d'ail émincée
1 livre (455 g) de champignons frais tranchés
2 c. à thé de sel

¼ de c. à thé de poivre
2 c. à table de farine tout usage
1 tasse de crème sure commerciale
Persil émincé

1. Emietter le boeuf dans une casserole de 1½ pinte (1½ litre). Ajouter l'oignon et l'ail.
2. Cuire à découvert environ 3 minutes.
3. Défaire la viande à l'aide d'une fourchette. Ajouter les champignons.
4. Recouvrir et cuire environ 3 minutes.
5. Saupoudrer le sel, le poivre, et la farine sur le dessus de la viande. Remuer doucement.
6. Recouvrir et cuire de nouveau 2 minutes en remuant à la fin de la première minute.
7. Incorporer la crème sure. Couvrir et laisser reposer 2 minutes. Vérifier la température. Si nécessaire, réchauffer 1 ou 2 minutes à couvert. Surtout ne pas laisser bouillir.
8. Servir, garni de persil, sur des nouilles ou des pommes de terre en purée.

Gigot d'agneau

8 portions

1 gigot d'agneau de 4 à 4½ livres (1,8 à 2 kg)
1 grosse gousse d'ail coupée en tranches minces

Sel et poivre au goût

1. Faire de petites incisions dans les deux côtés du gigot. Insérer l'ail dans les incisions.
2. Placer une soucoupe à l'envers dans un plat à cuisson de forme oblongue. Asseoir le gigot sur la soucoupe, la partie grasse sur le dessus.
3. Cuire à découvert environ 20 minutes.
4. Retourner le gigot pour que la partie grasse soit dessous. Cuire à découvert environ 20 minutes. Assaisonner légèrement de sel et de poivre.
5. Retirer du four et piquer le thermomètre dans la viande en prenant garde de ne pas toucher l'os. Le thermomètre doit indiquer 160° F. (71° C).
6. Laisser le thermomètre dans la viande et couvrir bien serré avec une feuille d'aluminium; laisser reposer environ 20 minutes ou jusqu'à ce que le thermomètre atteigne 180° F. (82° C).

Note: Pour le gigot à la française, la viande est rose. On diminue proportionnellement le temps de cuisson.

Temps de cuisson pour le gigot d'agneau

Saignant	Médium
8 à 9 minutes par livre	10 minutes par livre
ou	ou
18 à 20 minutes par kilo	22 minutes par kilo

AUX PAGES SUIVANTES: *à gauche,* Porc aigre-doux, page 58; *à droite,* Côtelettes de porc farcies, page 57.

Côtelettes d'agneau piquantes   4 portions

4 côtelettes d'agneau dans l'épaule
½ tasse d'oignon haché grossièrement
1 gousse d'ail émincée
½ tasse de catsup
2 c. à table de sauce Worcestershire
1 c. à table de moutarde préparée

1. Disposer les côtelettes d'agneau en un seul rang dans un plat à cuisson. Garnir avec l'oignon et l'ail. Cuire à découvert, environ 5 minutes.
2. Mélanger tous les autres ingrédients et étendre sur les côtelettes. Couvrir et cuire de 12 à 15 minutes, ou jusqu'à ce que les côtelettes soient tendres.

Ragoût d'agneau   4 portions

1 livre (455 g) d'agneau désossé, coupé en cubes de 1 pouce (2,5 cm)
1 sachet (⅝ oz ou 18 g) de préparation pour sauce brune
2 c. à table de farine tout usage
1 c. à thé de sel
⅛ de c. à thé de poivre
1 gousse d'ail émincée
½ c. à thé de sauce Worcestershire
¼ de tasse de vin rouge
3 carottes de grosseur moyenne, pelées et coupées en tronçons
2 branches de céleri coupées en morceaux
2 pommes de terre pelées et coupées en cubes

1. Dans une casserole de 2 ou 3 pintes (2 à 3 litres) combiner l'agneau avec la préparation pour sauce.
2. Cuire à découvert de 5 à 7 minutes, en remuant occasionnellement.
3. Ajouter tous les autres ingrédients avec 1 tasse d'eau et remuer.
4. Couvrir et cuire 20 minutes, ou jusqu'à ce que la viande et les légumes soient tendres. Remuer occasionnellement pendant la cuisson.
5. Laisser reposer 3 à 4 minutes avant de servir.

Agneau au cari   4 portions

1 livre (455 g) d'agneau désossé, coupé en cubes de 1 pouce (2,5 cm)
2 c. à table de farine tout usage
1 gros oignon tranché
1 gousse d'ail émincée
¼ de tasse de beurre ou de margarine
1½ c. à table de poudre de cari
2 pommes pelées et évidées, hachées grossièrement
2 c. à table de raisins secs épépinés
1½ c. à thé de sel

1. Passer les cubes d'agneau dans la farine. Mettre de côté.
2. Mettre l'oignon, l'ail et le beurre dans une casserole de 2 pintes (2 litres). Cuire à découvert 3 minutes.
3. Ajouter l'agneau et la poudre de cari et remuer légèrement.
4. Cuire à découvert 10 minutes en remuant de temps à autre.
5. Ajouter les pommes, les raisins secs et le sel. Verser en mélangeant ½ tasse d'eau.
6. Couvrir et cuire à peu près 20 minutes, ou jusqu'à ce que la viande soit tendre. Remuer occasionnellement pendant la cuisson.
7. Laisser reposer 3 minutes.
8. Servir avec du riz chaud et des garnitures de noix de coco en flocons, d'arachides ou de noix hachées, et de chutney.

Veau grand seigneur

3 à 4 portions

1 livre (455 g) de veau désossé, coupé en cubes
½ tasse d'oignon émincé
1 tomate fraîche pelée et coupée en dés
½ tasse de vin blanc sec
Sel et poivre au goût

1. Combiner le veau, l'oignon, la tomate, le vin, le sel et le poivre dans une casserole de 1½ pinte (1,5 litre).
2. Couvrir et cuire de 20 à 25 minutes ou jusqu'à ce que le veau soit tendre. Remuer plusieurs fois pendant la cuisson. Si la sauce s'évapore trop, ajouter un peu d'eau ou de vin.
3. Laisser reposer 3 à 4 minutes. Servir sur un lit de riz ou de nouilles au beurre.

Veau parmigiana

4 portions

1 oeuf légèrement battu
¼ de c. à thé de sel
3 c. à table de miettes de craquelins
⅓ de tasse de fromage parmesan râpé
1 livre (455 g) de côtelettes de veau
2 c. à table d'huile végétale
¼ de tasse de vermouth sec
1 oignon moyen haché
1 tasse (4 oz ou 114 g) de fromage mozzarella tranché ou râpé
1 boîte (8 oz ou 227 g) de sauce aux tomates
Poivre frais moulu
⅛ de c. à thé d'origan

54

1. Battre l'oeuf et le sel dans un plat peu profond. Combiner les miettes de craquelins et le fromage parmesan sur un morceau de papier ciré. Couper le veau en 4 portions. Placer chaque portion entre 2 morceaux de papier ciré et taper pour obtenir des escalopes de ¼ de pouce (0,6 cm) d'épaisseur.
2. Passer le veau dans l'oeuf et ensuite dans les miettes de craquelins. Chauffer l'huile dans un poêlon sur le dessus de la cuisinière. Cuire le veau dans l'huile chaude jusqu'à ce qu'il soit doré des deux côtés.
3. Placer le veau dans un plat de cuisson de 10 x 6 pouces (25 x 15 cm). Ajouter le vermouth au poêlon et cuire environ 1 minute en déglaçant bien. Verser sur les côtelettes de veau.
4. Parsemer la viande d'oignon. Couvrir de fromage mozzarella. Verser la sauce sur le dessus par cuillerées et assaisonner avec le poivre et l'origan.
5. Cuire à couvert 7 minutes ou jusqu'à ce que la sauce bouillonne et que le fromage soit fondu.

Veau cordon bleu

2 portions

½ livre (227 g) de steak de veau dans la ronde ou de côtelettes, coupées en tranches de ½ pouce (1,2 cm)
1 tranche de fromage suisse
2 tranches minces de jambon cuit
1½ c. à table de farine tout usage
1 oeuf
¼ de tasse de chapelure
1½ c. à table de beurre ou de margarine
1 c. à table de persil haché
1 c. à table de vin blanc sec

1. Couper le veau en 4 morceaux. Placer chaque morceau de veau entre 2 feuilles de papier ciré et marteler avec le côté d'un couteau ou d'un couperet pour obtenir ⅛ de pouce (3 mm) d'épaisseur.

2. Couper le fromage en 2 morceaux. Plier chaque morceau de fromage en deux. Placer sur une tranche de jambon. Enrouler le jambon autour du fromage 3 fois pour que le rouleau fini soit plus petit que les morceaux de veau. Placer le jambon sur une tranche de veau et recouvrir avec une seconde tranche. Presser les bords du veau ensemble pour bien sceller.
3. Mettre la farine sur une feuille de papier ciré. Battre l'oeuf légèrement avec 1 c. à table d'eau. Mettre la chapelure sur un morceau de papier ciré. Passer le veau dans la farine, puis dans l'oeuf battu et enrober ensuite de chapelure.
4. Mettre le beurre et le persil dans un plat à four de 8 pouces (20 cm).
5. Cuire au four 1 minute ou juste assez pour bien faire chauffer le beurre.
6. Ajouter le veau au beurre très chaud.
7. Cuire à découvert pendant 2 minutes. Retourner les tranches de veau.
8. Cuire de nouveau 2 minutes ou jusqu'à ce que le veau soit légèrement bruni et croustillant.
9. Verser le vin sur le veau et secouer la casserole pour que le vin se répande partout. Servir immédiatement.

Longe de porc   6 à 8 portions

1 longe de porc de 4 livres (1,8 kg)

1. Placer une soucoupe renversée dans le fond d'un plat à cuisson de forme oblongue. Asseoir le rôti sur la soucoupe, le gras en dessous. Couvrir les bouts d'os avec du papier d'aluminium.
2. Cuire 20 minutes.
3. Enlever l'aluminium et retourner le rôti pour que le côté gras soit sur le dessus. Couvrir lâchement de papier ciré. Faire cuire 20 minutes de plus ou jusqu'à ce que le thermomètre à viande indique 160° F. (71° C).
4. Laisser reposer, recouvert de papier d'aluminium, jusqu'à ce que le porc atteigne la température nécessaire.

Note: A l'étape 3, on peut, si on le désire, assaisonner de poivre et sel et badigeonner de sauce barbecue pour donner une belle couleur au rôti.

Côtelettes de porc à la cantonaise   6 portions

6 côtelettes de porc maigre	**1 c. à thé de gingembre moulu**
¼ de tasse de jus d'orange	**1 grosse orange pelée et tranchée**
½ c. à thé de sel	**Crème sure commerciale**

1. Enlever le gras des côtelettes. Mettre dans un plat à four oblong. Verser le jus d'orange sur les côtelettes.
2. Cuire à couvert 10 minutes.
3. Retirer du four. Retourner les côtelettes. Assaisonner de sel et de gingembre. Placer une tranche d'orange sur chaque côtelette.
4. Cuire à couvert 10 minutes de plus ou jusqu'à ce que les côtelettes soient tendres.
5. Retirer du four. Déposer une cuillerée de crème sure sur chaque côtelette. Couvrir et laisser reposer 5 minutes avant de servir.

CI-CONTRE: Tranche de jambon au four, page 59.

Côtelettes de porc aux abricots   4 portions

4 côtelettes de porc du centre de la longe, à peu près 1½ livre (682 g)	**½ c. à thé d'origan**
	Sel et poivre au goût
2 c. à table de cassonade	**1 boite (8¾ oz ou 248 g) de moitiés d'abricots**

1. Enlever tout le gras des côtelettes de porc. Placer les côtelettes dans un plat à four de 8 pouces (20 cm). Saupoudrer chaque côtelette avec la cassonade, l'origan, le sel et le poivre. Verser la moitié du jus des abricots sur les côtelettes.
2. Cuire à couvert pendant 10 minutes.
3. Retirer du four. Retourner les côtelettes. Arroser du jus de la cuisson. Recouvrir les côtelettes d'abricots.
4. Couvrir et cuire 5 minutes ou jusqu'à ce que le porc soit tendre.
5. Laisser reposer 5 minutes avant de servir.

Variations: Au lieu de l'origan et des abricots, on peut employer de la poudre d'oignon et des quartiers de mandarines ou encore du thym et des tranches de pêches.

Côtelettes de porc farcies   4 portions

1 tasse de chapelure grossière	**Une pincée de sauge**
¾ de tasse de pommes hachées	**2 c. à table de margarine ou de beurre fondu**
3 c. à table de raisins secs hachés	
½ c. à thé de sel	**8 côtelettes de porc minces dans la côte ou la longe**
2 c. à table de sucre	
2 c. à table d'oignon haché fin	**½ sachet (⅝ oz ou 18 g) de préparation pour sauce brune**
Poivre frais moulu, au goût	

1. Combiner la chapelure, les pommes, les raisins secs, le sel, le sucre, l'oignon, le poivre, la sauge et le beurre fondu. Mélanger et humecter d'eau chaude si la farce est trop sèche.
2. Enlever tout le gras des côtelettes. Disposer 4 côtelettes sur un plat à cuisson carré de 8 pouces (20 cm). Répartir la farce sur les côtelettes. Placer dessus le tout les autres côtelettes en pressant un peu.
3. Saupoudrer la préparation pour sauce brune sur les côtelettes.
4. Cuire à découvert 20 à 22 minutes ou jusqu'à ce que la viande soit tendre.

Côtelettes de porc à l'espagnole   4 portions

4 côtelettes de porc dans le centre	**Un soupçon de sauce Tabasco**
1 gros oignon tranché	**¼ de c. à thé de marjolaine**
1 boîte (15 oz ou 425 g) de sauce aux tomates	

1. Enlever tout le gras des côtelettes. Placer les côtelettes dans un plat à cuisson carré de 8 pouces (20 cm). Couvrir avec les tranches d'oignon. Combiner la sauce aux tomates, la sauce Tabasco et la marjolaine. Verser ce mélange sur les côtelettes.
2. Couvrir et cuire 10 minutes.
3. Retirer du four. Retourner les côtelettes. Les arroser avec le jus de la cuisson.
4. Couvrir et cuire 10 minutes.
5. Laisser reposer 5 minutes avant de servir.

Porc aigre-doux

1½ livre (682 g) de porc dans l'épaule, coupé en cubes de ½ pouce (1,25 cm)
1 petit oignon tranché
1 c. à thé de sel
1 boîte (8 oz ou 227 g) d'ananas en tranches

1 sachet (2 oz ou 58 g) de préparation pour sauce aigre-douce
2 piments verts épépinés, coupés en carrés

1. Mettre les cubes de porc, l'oignon et le sel dans un plat à cuisson de 2 à 3 pintes (2 à 3 litres).
2. Couvrir et cuire 10 à 11 minutes. Remuer la viande à une ou deux reprises.
3. Enlever la graisse.
4. Egoutter l'ananas. Conserver le jus et y ajouter assez d'eau pour faire ¼ de tasse de liquide. Ajouter au porc.
5. Couvrir et cuire 8 minutes. Remuer une ou deux fois pendant la cuisson.
6. Incorporer le mélange de sauce aigre-douce. Cuire à couvert 8 minutes en remuant à l'occasion pendant la cuisson.
7. Couper les tranches d'ananas en petits morceaux. Ajouter au porc ainsi que le piment. Cuire à couvert 4 minutes en remuant une ou deux fois pendant la cuisson.
8. Retirer du four et laisser reposer 5 minutes.
9. Servir avec du riz ou des nouilles chow mein.

Note: Ce plat est même meilleur quand il est préparé à l'avance et réchauffé à l'heure du repas.

58

Côtes découvertes à la barbecue

4 portions

2 c. à table d'huile
½ tasse d'oignon émincé
2 boîtes (8 oz ou 227 g chacune) de sauce aux tomates
2 c. à table de jus de citron
2 c. à table de cassonade
1 c. à table de sucre

2 c. à thé de sauce Worcestershire
1 c. à thé de moutarde préparée
1 c. à thé de sel
¼ de c. à thé de poivre
1½ livre (682 g) de côtes de porc découvertes (*spareribs*)

1. Mettre l'huile et l'oignon dans une casserole d'une pinte (1 litre). Recouvrir et cuire 2 minutes.
2. Ajouter 2 c. à table d'eau et les autres ingrédients, sauf les côtes découvertes. Couvrir et cuire 5 minutes.
3. Couvrir et laisser reposer.
4. Tailler les côtes en morceaux individuels et mettre dans une casserole de 3 pintes (3 litres).
5. Couvrir et cuire 15 minutes.
6. Enlever le jus et le gras de la cuisson. Mettre ensuite ¾ de tasse du mélange de sauce barbecue sur les côtes.
7. Cuire à découvert 5 minutes.
8. Retourner les côtes et cuire encore 2 minutes.
9. Remuer la sauce et cuire de nouveau 8 minutes.
10. Laisser reposer quelques minutes avant de servir.

Note: Cette recette donne à peu près 2½ tasses de sauce. Vous pouvez donc vous servir du reste de la sauce avec du poulet ou du bifteck.

Jambon au four

10 à 12 portions

½ jambon fumé précuit, d'environ 4 livres (1,8 kg)
¼ de tasse de cassonade

1 boîte (4 oz ou 113 g) d'ananas en tranches égoutté, le jus réservé
10 à 12 clous de girofle

1. Taillader le dessus du jambon en losanges ou en carreaux. Mettre dans un plat à cuisson approprié.
2. Couvrir de film plastique et cuire 20 minutes.
3. Pendant que le jambon cuit, délayer le cassonade dans 2 c. à table de jus d'ananas. Retirer le jambon du four et enlever le liquide. Garnir le dessus du jambon avec les clous de girofle et les tranches d'ananas. Recouvrir la garniture du jus d'ananas sucré.
4. Cuire à découvert 8 à 10 minutes.
5. Laisser reposer 20 minutes recouvert d'une feuille d'aluminium avant de découper.

Tranche de jambon au four

2 portions

1 tranche de jambon précuit d'environ 1 livre (455 g)

2 c. à thé de cassonade
½ c. à thé de moutarde préparée

1. Mettre la tranche de jambon dans un plat à cuisson carré de 8 pouces (20 cm).
2. Recouvrir de film plastique et faire cuire 5 minutes.
3. Retirer du four. Enlever le jus de cuisson et mêler à la cassonade et à la moutarde. Etendre ce mélange sur la tranche de jambon.
4. Cuire à découvert 2 à 3 minutes.
5. Recouvrir lâchement et laisser reposer 2 à 3 minutes avant de servir.

59

Jambon en escalope

4 portions

1½ tasse de lait
2 tasses de restes de jambon
4 tasses de pommes de terre tranchées
⅔ de tasse d'oignon haché
2 c. à table de farine tout usage

1 c. à thé de sel
⅛ de c. à thé de poivre
2 c. à table de beurre ou de margarine
Paprika

1. Verser le lait dans un contenant de 2 tasses.
2. Cuire recouvert de papier ciré ou de film plastique 2 à 3 minutes ou juste assez pour faire chauffer le lait.
3. Tapisser de jambon le fond d'un plat à gratin de 2 ou 3 pintes (2 ou 3 litres). Ajouter un rang de pommes de terre et d'oignon. Parsemer de farine, sel, poivre et noisettes de beurre. Ajouter un autre rang de jambon, puis les pommes de terre et l'oignon. Verser le lait chaud sur le tout.
4. Couvrir et cuire 12 à 14 minutes ou jusqu'à ce que les pommes de terre soient tendres.
5. Découvrir et cuire encore 4 à 6 minutes.
6. Couvrir, sans serrer, de film plastique et laisser reposer 2 minutes avant de servir.

Gratin au jambon

1½ tasse de jambon cuit coupé
   en dés
 2 c. à table d'oignon haché
⅛ de c. à thé d'estragon
 2 c. à table de beurre ou
   margarine
 1 boîte (10½ oz ou 300 g) de
   crème de poulet concentrée,
   non diluée

½ tasse de nouilles aux oeufs
   étroites
½ tasse de haricots verts taillés
   à la française
 2 c. à table de chapelure beurrée

1. Combiner le jambon, l'oignon, l'estragon, et le beurre dans une casserole de 1½ pinte (1½ litre).
2. Couvrir et cuire 2 minutes ou juste assez pour faire revenir l'oignon dans le beurre.
3. Ajouter la crème de poulet, les nouilles, les haricots, et ½ tasse d'eau. Remuer.
4. Couvrir et faire chauffer 5 à 6 minutes en remuant une fois pendant la cuisson.
5. Parsemer de chapelure. Couvrir et laisser reposer 2 à 3 minutes.

Bacon

8 tranches de bacon

1. Séparer le bacon et en disposer 4 tranches sur deux épaisseurs de papier absorbant dans un plat à cuisson rectangulaire. Couvrir d'une autre feuille de papier absorbant. Disposer les 4 autres tranches sur ce papier et recouvrir encore une fois de papier.
2. Cuire 6 à 8 minutes ou jusqu'à ce que le bacon soit croustillant.

Note: Le temps requis pour cuire le bacon au four à micro-ondes peut varier considérablement selon l'épaisseur du bacon, la quantité de gras qu'il contient et le degré de cuisson désiré. C'est pourquoi il serait peut-être bon de le cuire comme suggéré ci-haut la première fois et juger ensuite du temps approprié pour votre goût.

La Volaille

On peut facilement décongeler dindes et poulets entiers dans un four à micro-ondes en autant qu'on fait souvent la rotation de la volaille. Il s'agit aussi de sortir la volaille du four et de la laisser reposer à quelques reprises. Si la surface de la volaille commence à cuire à certains endroits, on doit recouvrir ces endroits de papier d'aluminium afin d'éviter que la viande soit trop cuite plus tard. Quand vous faites rôtir une volaille, vérifiez son degré de cuisson en la retirant du four pour y insérer un thermomètre. Si la température est de 20° F. (10° C) de moins que désirée, c'est le temps de laisser reposer la volaille en dehors du four ou la cuisson se terminera toute seule.

Lorsque vous faites cuire du poulet en morceaux, il faut placer les plus gros morceaux contre les parois du plat et les plus petits au centre; ainsi, tous les morceaux cuiront uniformément.

Poulet rôti farci

4 à 6 portions

1 **poulet à rôtir d'environ 5 livres (2,3 kg)**	**Sel au goût**
½ **paquet de préparation pour farce (7 oz ou 198 g)**	

1. Laver le poulet. Réserver les abats et le cou pour faire de la soupe.
2. Préparer la farce selon le mode d'emploi.
3. Saler l'intérieur du poulet. Farcir. Maintenir avec des cure-dents. Attacher les cuisses ensemble et ficeler les ailes au corps. Couvrir le bout des ailes, du croupion, et des pattes avec du papier d'aluminium.
4. Mettre des soucoupes renversées dans une cocotte de 2 pintes (2 litres). Placer le poulet, la poitrine en bas, sur les soucoupes. Badigeonner de beurre. Cuire à découvert 20 minutes.
5. Retirer le poulet de la cocotte et le retourner. Enlever les feuilles d'aluminium. Badigeonner avec du beurre. Couvrir d'un morceau de papier ciré.
6. Cuire environ 20 minutes ou jusqu'à ce que le thermomètre à viande indique 180° F. (82° C).
7. Couvrir lâchement de papier d'aluminium et laisser reposer 10 à 15 minutes avant de découper. Pendant ce temps, votre thermomètre devrait atteindre 195° F. (91° C), ce qui est la température appropriée pour le poulet rôti.

Temps de cuisson pour le poulet rôti

8 à 9 minutes par livre ou 18 à 20 minutes par kilo

62

Méthode à suivre: Calculer le temps de cuisson avant de mettre au four. Cuire, la poitrine dans le fond, la moitié du temps; alors retourner le poulet et continuer à cuire, la poitrine en haut, le reste du temps alloué.

Décongélation du poulet

1 poulet congelé, coupé en deux

Placer les demies de poulet dans un plat rectangulaire. Faire chauffer en suivant les recommandations données plus bas. Une fois le poulet décongelé, il faut le faire cuire immédiatement étant donné que la cuisson a déjà commencé pendant la décongélation au four.

1. Faire chauffer 3 minutes. Laisser reposer 1 minute.
2. Faire chauffer 2 minutes. Laisser reposer 1 minute.
3. Faire chauffer 1 minute. Laisser reposer 1 minute.

Poulet des Balkans

½ **tasse de beurre ou de margarine**	½ **tasse de jus de tomates**
1 **jeune poulet coupé en portions**	1 **c. à thé de paprika**
1 **oignon tranché**	1 **c. à thé de sel**
⅓ **de tasse de sherry sec**	**Poivre frais moulu, au goût**

1. Déposer le beurre dans un plat à four carré de 8 pouces (20 cm). Cuire à découvert à peu près 1 minute ou jusqu'à ce que le beurre fonde.
2. Couper les gros morceaux de poulet en deux. Déposer dans le plat à four et retourner afin que tous les morceaux soient enduits de beurre. Placer les blancs de poulet au milieu du plat. Entourer des autres morceaux. Ajouter les tranches d'oignon sur le dessus.

AUX PAGES SUIVANTES: *à gauche,* Poulet chasseur, page 63; *à droite,* Dinde divan, page 67.

3. Cuire à découvert 5 minutes.
4. Mélanger les ingrédients qui restent avec ½ tasse d'eau. Verser sur le poulet.
5. Cuire à couvert de 23 à 25 minutes ou jusqu'à ce que le poulet soit tendre à la fourchette.
6. Servir avec un pilaf de riz.

Poulet chasseur

¼ de tasse d'huile à friture	1¼ c. à thé de sel
1 jeune poulet coupé en portions	⅛ de c. à thé de poivre
1 oignon moyen haché grossièrement	½ feuille de laurier
1 gousse d'ail émincée	1 boîte (16 oz ou 455 g) de tomates
1 piment vert moyen évidé et haché grossièrement	2 c. à table de vin blanc sec
	Persil haché

1. Verser l'huile dans un plat à four carré de 8 pouces (20 cm). Couper les gros morceaux de poulet en deux. Déposer dans le plat et retourner afin que tous les morceaux soient enduits d'huile. Mettez les blancs de poulet au centre et entourer des autres morceaux. Parsemer avec l'oignon et l'ail. Cuire 5 minutes.
2. Mélanger le piment, le sel, le poivre, la demi-feuille de laurier, les tomates et le vin tout en écrasant les tomates en petits morceaux. Verser sur le poulet.
3. Cuire à couvert 23 à 25 minutes ou jusqu'à ce que le poulet soit tendre à la fourchette.
4. Garnir de persil et servir accompagné de spaghetti.

Décongélation de la dinde

63

Si vous avez tout le temps voulu, vous pouvez décongeler la dinde selon les instructions données sur l'emballage. Ceci est d'ailleurs préférable si vous n'avez pas l'intention de cuire la dinde immédiatement après, car un certain degré de cuisson est inévitable quand vous décongelez la dinde au four à micro-ondes.
1. Déposer la dinde entourée de film plastique dans un plat à four. Faire chauffer 1 minute par livre en retournant la dinde deux fois pendant la cuisson.
2. Retirer du four et laisser reposer 10 à 15 minutes pour permettre à la chaleur de pénétrer dans la dinde. Enlever le plastique d'emballage et, s'il y en a un, le morceau de métal qui sert à retenir les pattes. Retirer aussi le sac d'abattis.
3. Faire chauffer 1 minute par livre en retournant la dinde deux ou trois fois pendant la cuisson. Vérifier l'apparence de la dinde et si vous découvrez quelques taches brunes, les recouvrir de papier d'aluminium.
4. Retirer du four et laisser reposer 10 à 15 minutes pour permettre à la chaleur de pénétrer dans la dinde.
5. Faire chauffer ½ minute par livre en retournant la dinde deux fois pendant la cuisson. Voir à couvrir toute tache brune avec un petit morceau de papier d'aluminium.
6. Retirer du four et laisser reposer 10 à 15 minutes. Insérer une brochette dans la poitrine de la dinde. Si elle est facile à insérer, la dinde est dégelée.
7. Si la dinde n'est pas dégelée, réchauffer ½ minute de plus par livre.
8. Laisser reposer. Farcir et cuire selon les instructions.

Note: Il faut compter à peu près 1 heure pour décongeler une dinde de 10 livres.

Dinde rôtie

1. Choisir une dinde d'entre 8 et 12 livres (3,6 kg et 5,5 kg). Une grosse dinde peut être cuite au four en autant qu'on peut facilement la sortir du four une fois placée sur des soucoupes au-dessus de la graisse de cuisson, la poitrine dessus ou dessous. Bien entendu, une dinde plus petite est plus facile à manoeuvrer.

2. Enlever les abattis et le cou de la dinde. Rincer l'intérieur de la dinde. Cuire les abattis de façon conventionnelle sur la cuisinière et se servir du bouillon pour la sauce ou la soupe.

3. Assécher la dinde avec du papier absorbant. Pour une dinde farcie, remplir la cavité du corps et la cavité du cou de la farce de votre choix. Attacher la peau du cou et celle de l'ouverture du corps avec des brochettes de bois. Ficeler les ailes au corps et les pattes ensemble sans serrer. Couvrir les ailes et les pattes avec du papier d'aluminium.

4. Placer des soucoupes renversées ou des petits couvercles de casseroles dans le fond d'un plat à four de 2 à 3 pintes (2 à 3 litres) selon la grosseur de la dinde. La dinde ne doit pas dépasser le bord du plat. Déposer la dinde sur les soucoupes, la poitrine en dessous.

5. Cuire à découvert la moitié du temps alloué. (Calculer le temps de cuisson d'après le tableau qui suit.) Retirer la dinde du four. La retourner. Enlever les morceaux de papier d'aluminium. Badigeonner de beurre fondu.

6. Cuire le reste du temps alloué. Surveiller la dinde de près pendant cette période, car des taches brunes qui peuvent apparaître sur la dinde indiquent des endroits qui cuisent trop vite. Il faut couvrir ces endroits avec des petits morceaux de papier d'aluminium pour arrêter la cuisson.

7. Retirer la dinde du four et insérer un thermomètre à viande dans la partie charnue de la cuisse ou de la poitrine, en prenant bien soin que le thermomètre ne touche pas d'os. Le thermomètre devrait indiquer à peu près 170° F. (77° C) ce qui est de 10° F. (5,5° C) à 15° F. (8,3° C) de moins que la température finale. Recouvrir la dinde de papier d'aluminium et laisser reposer à peu près 20 minutes afin que la température atteigne 185° F. (85° C) et que la dinde se découpe facilement.

Temps de cuisson pour la dinde

7½ à 9 minutes par livre ou 17 à 20 minutes par kilo

Note: Sur les nouveaux thermomètres à viande, les températures pour la cuisson sont plus basses que sur les anciens thermomètres. Ceci peut affecter le temps de cuisson.

Il ne faut pas se servir du thermomètre pendant la cuisson au four. Insérer le thermomètre quand la dinde est hors du four. Si la dinde a besoin de plus de cuisson, enlever le thermomètre et réinsérer quand la dinde est sortie du four pour la seconde fois. La hausse de la température est énorme au commencement, ce qui veut dire que la température désirée sera atteinte en peu de temps de cuisson additionnel. Etant donné la longue cuisson, la dinde sera brune mais la peau ne sera pas croustillante. Si on désire de la peau croustillante, on doit réduire le temps de la cuisson de 30 secondes par livre (66 secondes par kilo) et faire rôtir la dinde à peu près 15 minutes dans un four conventionnel à 450° F. (232° C).

Dinde Tetrazzini
6 portions

4 onces (113 g) de spaghetti mince
3 c. à table de beurre ou de margarine
1 boîte (4 oz ou 113 g) de champignons tranchés égouttés
1/3 de tasse d'oignon émincé
3 c. à table de farine tout usage
2 tasses de bouillon de poulet ou de lait

1/2 tasse de crème légère
1/4 de tasse de vermouth sec
1 c. à thé de sel
Un soupçon de poivre blanc
3/4 de tasse de fromage parmesan, divisé
2 tasses de dinde cuite coupée en dés

1. Faire bouillir le spaghetti en suivant les indications données sur la boîte. Egoutter immédiatement et rincer à l'eau froide pour arrêter la cuisson. Laisser en attente.
2. Mettre le beurre dans une casserole de 3 pintes (3 litres). Ajouter les champignons et l'oignon.
3. Cuire à couvert 2 à 3 minutes ou jusqu'à ce que l'oignon soit tendre.
4. Ajouter la farine. Bien mélanger pour obtenir une pâte lisse.
5. Cuire à couvert 30 secondes.
6. Ajouter en remuant le bouillon de poulet, la crème, le vermouth, le sel, le poivre et 1/4 de tasse de fromage parmesan. Bien mélanger.
7. Cuire à découvert 3 à 4 minutes ou jusqu'à ce que la préparation commence à bouillir et épaississe. Remuer une fois pendant la cuisson.
8. Ajouter le spaghetti cuit, la dinde et le reste du fromage. Mélanger légèrement.
9. Cuire à couvert 5 minutes ou jusqu'à ce que la préparation soit bouillante.
10. Laisser reposer 2 à 3 minutes avant de servir.

Note: On peut remplacer la dinde par du poulet et obtenir un plat tout aussi délicieux.

67

Dinde divan
4 à 6 portions

1 botte de brocoli cuit
8 à 12 tranches de poitrine de dinde cuite
2 tasses de sauce blanche (page 108)

1/4 de tasse de fromage parmesan
1/4 de tasse de fromage de Gruyère râpé

1. Placer le brocoli cuit dans un plat à cuisson de telle façon que les fleurs soient au bout du plat. Recouvrir le centre du plat de tranches de dinde cuite.
2. Préparer la sauce blanche et pendant qu'elle est encore chaude ajouter les deux sortes de fromage. Bien mélanger. Verser sur la dinde. Si on le désire, on peut saupoudrer d'autre fromage parmesan.
3. Cuire recouvert de film plastique ou de papier ciré 5 à 6 minutes ou jusqu'à ce que la dinde soit très chaude.

Le Poisson

La cuisson du poisson au four à micro-ondes est un excellent moyen de gagner du temps et de conserver toute la saveur du poisson. Le poisson cuit par lui-même; le seul truc est de voir à ce qu'il ne cuise pas trop. Faire cuire seulement jusqu'à ce que le poisson se détache facilement à la fourchette, ce que vous pouvez d'ailleurs vérifier souvent en cours de cuisson. Il faut alors retirer le poisson du four et le laisser reposer un peu, étant donné qu'il continue à cuire même en dehors du four. Les fruits de mer doivent être surveillés de plus près encore car ils ont tendance à durcir très rapidement s'ils cuisent trop.

Achigan farci

4 à 6 portions

1 achigan d'environ 3 livres (1,4 kg)
2 tasses de cubes de pain frais
1 c. à table de margarine ou de beurre fondu

Sel et poivre au goût
1 c. à table de persil haché
1 c. à thé de jus de citron
3 tranches de bacon

1. Laver le poisson à l'eau froide. Assécher avec du papier absorbant.
2. Combiner les cubes de pain, le beurre, le sel, le poivre, le persil, et le jus de citron. Mélanger légèrement. Farcir le poisson et le refermer avec des cure-dents ou le ficeler.
3. Placer le poisson dans un plat à cuisson approprié. Déposer les tranches de bacon sur le poisson.
4. Couvrir et cuire 5 à 6 minutes.
5. Enlever tout le jus de la cuisson. Cuire le poisson à peu près 5 minutes recouvert de papier absorbant ou jusqu'à ce que le poisson s'effeuille à la fourchette.
6. Laisser le poisson couvert reposer 5 minutes avant de servir.

Darnes de flétan

4 portions

2 darnes de flétan de ¾ de pouce (2 cm) d'épaisseur
½ citron
1 oeuf battu
½ boîte (10 ¾ oz ou 304 g) de crème de céleri concentrée, non diluée

2 c. à table de lait
2 c. à table de fromage parmesan râpé, divisées
2 c. à table de chapelure fine
2 c. à thé de margarine ou de beurre fondu

1. Essuyer le poisson avec une feuille de papier humide. Couper chaque tranche de poisson en deux. Placer dans un plat à cuisson de 8 pouces (20 cm). Presser le citron sur le poisson. Mettre de côté.
2. Dans un contenant de 2 tasses, battre ensemble l'oeuf, la soupe, le lait et 1 c. à table du fromage.
3. Couvrir et cuire 1 minute. Retirer et bien mélanger pour faire fondre le fromage.
4. Verser le mélange de soupe sur les darnes. Saupoudrer le poisson de chapelure mélangée avec le beurre. Ajouter ce qui reste de fromage.
5. Couvrir et cuire 6 minutes ou jusqu'à ce que le poisson s'effeuille à la fourchette.

Filets de sole amandine

4 portions

½ tasse d'amandes effilées
½ tasse de beurre ou de margarine
1 livre (455 g) de filets de sole
½ c. à thé de sel

⅛ de c. à thé de poivre
1 c. à thé de persil haché
1 c. à table de jus de citron

1. Mettre les amandes et le beurre dans un plat à cuisson carré de 8 pouces (20 cm).
2. Cuire, à découvert, environ 5 minutes, ou jusqu'à ce que les amandes soient dorées. Retirer les amandes avec une cuillère trouée et mettre de côté.
3. Disposer la sole dans le plat avec le beurre. La tourner pour l'enduire de beurre des deux côtés. Saupoudrer de sel, de poivre et de persil. Arroser de jus de citron.
4. Couvrir de papier ciré ou de film plastique et cuire 4 minutes.

AUX PAGES SUIVANTES: à gauche, Filets de sole amandine, page 70; *à droite,* Thon aux champignons, page 74.

5. Découvrir. Parsemer les amandes grillées sur le poisson. Couvrir et cuire 1 minute ou jusqu'à ce que le poisson s'effeuille facilement.
6. Laisser reposer 1 ou 2 minutes avant de servir. Garnir de quartiers de citron et de branches de persil.

Timbale de thon et d'épinards   4 portions

1 **paquet (10 oz ou 283 g) d'épinards frais**	3 **c. à table de beurre ou de margarine, divisées**
1 **boîte (7 oz ou 198 g) de thon entier**	1 **c. à table d'oignon émincé**
1 **boîte (4 oz ou 113 g) de champignons tranchés**	2 **c. à table de farine tout usage**
2 **c. à table de jus de citron**	½ **c. à thé de sel**
	⅛ **de c. à thé de poivre**
	1 **oeuf légèrement battu**

1. Laver les épinards à l'eau fraîche. Bien égoutter. Briser en morceaux en ayant soin d'enlever les queues coriaces. Déposer dans une casserole de 2 pintes (2 litres).
2. Cuire à couvert 3 à 4 minutes ou jusqu'à ce que les épinards soient amollis. Bien égoutter et mettre de côté.
3. Egoutter le thon et mettre de côté.
4. Egoutter les champignons en conservant le jus. Mettre le jus de champignons dans une tasse à mesurer. Ajouter le jus de citron et assez d'eau pour donner 1 tasse de liquide.
5. Mettre 2 c. à table du beurre dans une casserole de 1 pinte (1 litre). Cuire 30 secondes ou juste assez pour faire fondre le beurre.
6. Ajouter l'oignon, la farine, le sel et le poivre. Cuire à découvert 30 secondes.
7. Ajouter le liquide des champignons. Cuire à découvert à peu près 3 minutes, ou jusqu'à ce que la sauce soit épaissie. Remuer de temps à autre pendant la cuisson.
8. Ajouter un peu de la sauce à l'oeuf, bien battre et incorporer à la sauce chaude. Ajouter les champignons à la sauce.
9. Déposer les épinards égouttés dans une casserole de 2 à 3 pintes (2 à 3 litres). Briser le thon en gros morceaux et déposer sur les épinards. Verser la sauce sur le tout. Parsemer de la cuillerée à table de beurre qui reste.
10. Cuire à découvert à peu près 6 minutes. Laisser reposer recouvert de papier ciré 3 à 4 minutes avant de servir.

Palourdes à la vapeur   2 portions

1 **pinte (1 litre) de palourdes (steamers)**	**Margarine ou beurre fondu**

1. Racler et laver les palourdes sous l'eau courante pour enlever le sable. Jeter toutes les palourdes qui sont le moindrement ouvertes.
2. Mettre les palourdes nettoyées dans une casserole de 2 pintes (2 litres). Ajouter 2 c. à table d'eau.
3. Cuire à couvert 8 minutes, ou jusqu'à ce que les coquilles soient toutes ouvertes et les palourdes cuites. Jeter les palourdes dont la coquille reste fermée.
4. Servir les palourdes dans des bols plats avec plats de côté de jus de palourde et de beurre fondu. Retirer les palourdes des coquilles, tremper dans le jus, puis dans le beurre.
5. Après avoir mangé les palourdes, boire leur jus.

Thon aux champignons

1 tasse de céleri tranché mince
¼ de tasse d'oignon haché
2 c. à table de beurre ou de margarine
1 boîte (7 oz ou 198 g) de thon
1 boîte (10¾ oz ou 304 g) de crème de champignons concentrée, non diluée

1 boîte (3 oz ou 85 g) de nouilles chow mein
½ tasse de noix d'acajou grossièrement hachées

1. Mélanger le céleri, l'oignon, et le beurre dans une casserole de 1 pinte (1 litre). Cuire à découvert à peu près 5 minutes en remuant une fois pendant la cuisson.
2. Egoutter le thon et déchiqueter. Ajouter à la préparation d'oignon ainsi que la soupe, les ⅔ de la boîte de nouilles, et les noix d'acajou. Remuer légèrement.
3. Cuire à couvert 2 minutes.
4. Remuer légèrement. Garnir avec les nouilles qui restent. Cuire à couvert à peu près 5 minutes ou jusqu'à ce que ce soit très chaud.

Crabe en coquille

4 portions

1 c. à table de persil haché
1 c. à table de piment vert haché
1 échalote entière hachée
1 boîte (4 oz ou 113 g) de champignons coupés en tranches et morceaux
1 c. à thé de beurre
1 boîte (10¾ oz ou 304 g) de crème de céleri concentrée, non diluée

1 boîte (7½ oz ou 212 g) de chair de crabe
1 c. à table de jus de citron
1 c. à table de sherry sec
2 c. à table de chapelure
2 c. à table de fromage Cheddar râpé
Paprika

1. Mélanger le persil, le piment vert, l'échalote, les champignons, et le beurre dans une casserole de 1 pinte (1 litre).
2. Cuire à couvert 3 minutes.
3. Ajouter la crème de céleri en mêlant bien. Cuire à couvert 1 minute.
4. Trier la chair de crabe en ayant soin d'enlever tous les petits morceaux de cartilage. Ajouter à la préparation ainsi que le jus de citron et le sherry. Répartir la préparation entre 4 coquilles Saint-Jacques. Mélanger la chapelure et le fromage. Etendre sur le crabe. Saupoudrer généreusement avec le paprika.
5. Cuire 2 coquilles à la fois 6 minutes en tournant les coquilles une fois à la mi-cuisson.

Queues de homard

4 portions

1 livre (455 g) de queues de homard congelées
1 c. à thé de jus de citron
¼ de tasse de beurre ou de margarine

¼ de c. à thé de zeste de citron râpé

1. Déposer les queues de homard congelées dans un plat à four carré de 8 pouces (20 cm). Arroser de jus de citron. Cuire 4 minutes pour décongeler le homard.
2. Couper la sorte d'écaille qui se trouve sous la queue avec un couteau bien aiguisé ou des ciseaux. Insérer des brochettes de bois dans les queues pour

les aplatir. Egoutter et replacer le homard dans le plat avec la carapace en dessous.

3. Combiner le beurre et le zeste de citron dans un ramequin. Cuire 30 secondes ou jusqu'à ce que le beurre soit fondu.
4. Badigeonner les queues de homard avec le beurre fondu.
5. Cuire à couvert 7 minutes ou jusqu'à ce que la chair de homard devienne rose.
6. Servir chaud avec le beurre fondu et des quartiers de citron.

Pétoncles à la poulette   4 portions

¼ de tasse de beurre ou de margarine	⅛ de c. à thé de poivre
1 c. à table d'oignon émincé	1 livre (455 g) de pétoncles *(bay scallops)*
¼ de tasse de farine	1 feuille de laurier
1 boîte (4 oz ou 113 g) de champignons tranchés, égouttés	2 c. à thé de jus de citron
	½ tasse de crème légère
¼ de tasse de vermouth sec	1 jaune d'oeuf
½ c. à thé de sel	1 c. à table de persil haché

1. Mélanger le beurre et l'oignon dans une casserole de 2 pintes (2 litres).
2. Cuire à découvert 2 minutes.
3. Ajouter la farine en mélangeant bien. Ajouter les champignons, le vermouth, le sel, le poivre, les pétoncles, la feuille de laurier et le jus de citron. Remuer légèrement.
4. Cuire à couvert 6 minutes ou jusqu'à ce que les pétoncles soient tendres.
5. Enlever la feuille de laurier. Battre ensemble la crème et le jaune d'oeuf. Ajouter délicatement un peu de liquide chaud à l'oeuf et bien mélanger. Incorporer la préparation à l'oeuf au mélange chaud tout en remuant.
6. Cuire à couvert à peu près 4 minutes, en remuant deux fois pendant la cuisson.
7. Saupoudrer de persil et servir.

75

Crevettes à la créole   6 portions

3 c. à table de beurre ou de margarine	1 c. à table de sauce Worcestershire
½ tasse d'oignon haché	1½ c. à thé de sel
½ tasse de piment vert haché	1 c. à thé de sucre
½ tasse de céleri en dés	½ c. à thé de poudre de chili
1 gousse d'ail émincée	Un soupçon de sauce Tabasco
1 boîte (1 lb ou 455 g) de tomates, écrasées	1 c. à table de fécule de maïs
1 boîte (8 oz ou 227 g) de sauce aux tomates	1 livre (455 g) de crevettes cuites

1. Réunir le beurre, l'oignon, le piment, le céleri, et l'ail dans une casserole de 2 à 3 pintes (2 à 3 litres).
2. Cuire à découvert 3 minutes en remuant une fois.
3. Ajouter les tomates, la sauce aux tomates, la sauce Worcestershire, le sel, le sucre, la poudre de chili et la sauce Tabasco.
4. Cuire à découvert 7 minutes en remuant deux fois pendant la cuisson.
5. Délayer la fécule de maïs dans 2 c. à thé d'eau froide. Incorporer à la préparation de tomates.
6. Cuire à découvert 3 minutes en remuant une ou deux fois.
7. Ajouter les crevettes. Cuire à découvert 2 minutes ou jusqu'à ce que les crevettes soient très chaudes.
8. Servir avec du riz sauvage ou encore du riz bouilli ordinaire.

Pétoncles chasseur

1 oignon moyen haché
1 piment vert moyen haché
¼ de tasse d'huile à salade
1 boîte (1 lb ou 455 g) de tomates, égouttées
1 livre (455 g) de pétoncles
1 boîte (8 oz ou 227 g) de sauce aux tomates

¼ de tasse de vin blanc sec
1¼ c. à thé de sel
⅛ de c. à thé de poivre
2 feuilles de laurier
2 c. à table de persil haché

1. Mélanger l'oignon, le piment et l'huile dans une casserole de 1½ à 2 pintes (1½ à 2 litres).
2. Cuire à couvert 4 minutes en remuant une fois.
3. Ecraser les tomates en petits morceaux avec une fourchette. Déposer dans la casserole ainsi que les pétoncles, la sauce aux tomates, le vin, le sel, le poivre et les feuilles de laurier.
4. Cuire à couvert 10 minutes ou jusqu'à ce que les pétoncles soient tendres.
5. Parsemer de persil. Servir accompagné de riz, si désiré.

78

AUX PAGES SUIVANTES: à gauche, Oeufs à la Bénédict, page 82; *à droite,* Brioches glacées, page 138; Oeufs cuits au four, page 82.

Les Oeufs, les Pâtes alimentaires et le Fromage

On doit particulièrement surveiller les oeufs et le fromage pendant la cuisson. Les oeufs cuisant très vite, ils peuvent devenir rapidement trop cuits. Prenez soin de bien mesurer le temps de cuisson. Quand vous faites cuire des oeufs, il est sage de piquer légèrement le jaune avec la pointe d'un couteau pour permettre à la vapeur de s'échapper et empêcher les jaunes d'éclater.

Il est préférable de faire cuire les fromages, plutôt moins que plus, car ils ont tendance à devenir caoutchouteux s'ils sont trop cuits, que ce soit dans un four à micro-ondes ou de toute autre façon.

Oeuf poché

1 oeuf

1. Dans un ramequin porter ⅓ de tasse d'eau à ébullition pendant 1 à 1½ minute.
2. Casser l'oeuf avec soin dans un petit plat ou une soucoupe. Faire glisser l'oeuf dans l'eau bouillante.
3. Bien couvrir et cuire 30 secondes. Garder couvert et laisser reposer 1 minute avant de servir.

Oeuf frit

1 portion

1 c. à thé de beurre ou de margarine   **1 oeuf**

1. Placer le beurre dans un ramequin. Cuire pendant 30 secondes jusqu'à ce qu'il soit à peine fondu.
2. Casser soigneusement l'oeuf dans le plat. Couvrir hermétiquement et cuire pendant 30 à 35 secondes. Garder couvert et laisser reposer 1 minute avant de servir.

Oeufs à la Bénédict

4 portions

¾ de tasse de sauce hollandaise
2 moufflets anglais (*English muffins*) fendus et grillés

4 tranches de jambon de ¼ à ½ pouce (6 à 12 mm) d'épaisseur
4 oeufs pochés

82

1. Préparer la sauce hollandaise. Couvrir avec du papier ciré et mettre de côté.
2. Placer chaque moitié de moufflet sur une assiette de carton et recouvrir chacune d'une tranche de jambon.
3. Cuire à découvert, 2 à la fois, 1½ minute ou jusqu'à ce que le jambon soit chaud.
4. Recouvrir chacune d'un oeuf poché. Napper de sauce hollandaise et servir immédiatement.

Oeufs cuits au four

1 portion

1 c. à thé de beurre ou de margarine   **2 oeufs**

1. Faire fondre le beurre dans un ramequin ou un bol à céréales pendant environ 30 secondes.
2. Casser les oeufs soigneusement dans le plat. Couvrir hermétiquement avec un film plastique.
3. Cuire à couvert 1 minute et 20 secondes.
4. Retirer du four et laisser reposer 1 minute avant de servir. Servir avec du bacon croustillant et une rôtie beurrée.

Welsh Rabbit

4 à 6 portions

4 c. à thé de beurre ou de margarine
4 tasses (1 lb ou 455 g) de fromage Cheddar fort râpé
¾ de c. à thé de sauce Worcestershire
½ c. à thé de sel

½ c. à thé de paprika
¼ de c. à thé de moutarde sèche
¼ de c. à thé de cayenne
2 oeufs légèrement battus
1 tasse de bière plate, blonde ou brune, à la température de la maison

1. Fondre le beurre dans une casserole de 2 pintes (2 litres) environ 1 minute.
2. Ajouter le fromage, la sauce Worcestershire, le sel, le paprika, la moutarde sèche, et le cayenne. Bien mélanger.
3. Cuire à couvert 3 minutes, en remuant après 1½ minute.
4. Introduire un peu de fromage chaud dans les oeufs battus. Incorporer douce-ment à la préparation chaude. Bien remuer. Ajouter la bière graduellement. Bien mélanger.
5. Cuire à couvert 6 à 7 minutes, en remuant toutes les 2 minutes.
6. Retirer du four et battre vigoureusement au fouet pour bien amalgamer.
7. Servir sur des rôties de pain français et garnir de tranches de tomates et de bacon.

Fondue suisse   6 portions

4 tasses de fromage suisse râpé	**Un soupçon de poivre**
¼ de tasse de farine tout usage	**2 tasses de vin blanc sec**
¼ de c. à thé de sel	**2 c. à table de kirsch**
¼ de c. à thé de muscade	**1 pain français, coupé en cubes**

1. Dans un plat ou une casserole de 1½ pinte (1,5 litre) mélanger le fromage, la farine, le sel, la muscade et le poivre. Remuer légèrement pour couvrir le fromage de farine. Incorporer le vin.
2 Couvrir et cuire 3 à 4 minutes en remuant pendant les 2 dernières minutes de cuisson. Retirer du four et bien remuer pour finir de faire fondre le fromage.
3. Si le fromage n'est pas tout fondu, retourner au four pendant 1 minute.
4. Ajouter le kirsch.
5. Servir immédiatement avec des cubes de pain français. Piquer chaque cube de pain sur une fourchette à fondue, tremper dans la fondue et manger tout de suite.
6. Si la fondue refroidit pendant que vous mangez, la remettre au four 1 minute pour la réchauffer.

83

Nouilles vertes   6 portions

¼ de tasse de beurre ou de margarine	**1 tasse de fromage Cheddar fort, coupé en dés**
¼ de tasse de farine tout usage	**¼ de tasse de fromage parmesan râpé**
1 c. à thé de sel	
¼ de c. à thé de sauce Tabasco	**3 tasses de nouilles vertes cuites**
2½ tasses de lait	**3 oeufs durs, coupés en deux**

1. Mettre le beurre dans une casserole de 1½ pinte (1,5 litre).
2. Couvrir et cuire 1 minute jusqu'à ce que le beurre soit fondu.
3. Retirer du four et ajouter en remuant la farine, le sel et la sauce Tabasco pour obtenir une pâte lisse.
4. Cuire 1 minute.
5. Incorporer graduellement le lait. Couvrir et cuire 5 à 6 minutes en remuant occasionnellement pendant la dernière moitié de la cuisson.
6. Retirer et battre vigoureusement pour obtenir une sauce onctueuse. Ajouter le fromage Cheddar et le parmesan et remuer jusqu'à ce que le fromage soit fondu. Ajouter les nouilles et les remuer jusqu'à ce qu'elles soient bien enro-bées de sauce.
7. Couvrir et cuire 5 minutes.
8. Garnir avec les moitiés d'oeufs durs. Couvrir et cuire 3 minutes ou jusqu'à ce que ce soit très chaud.

Manicotti

1 paquet (8 oz ou 227 g) de
  nouilles manicotti
1 paquet (1 lb ou 455 g) de
  fromage ricotta
½ livre (227 g) de fromage
  mozzarella râpé
Fromage parmesan râpé
3 c. à table de persil haché,
  divisé
3 c. à thé de sucre, divisé
1 oeuf légèrement battu

Sel et poivre au goût
2 saucisses italiennes douces
1 gousse d'ail émincée
1 oignon moyen émincé
1 livre (455 g) de boeuf haché
1 boîte (12 oz ou 340 g) de
  tomates, écrasées
1 boîte (16 oz ou 455 g) de sauce
  aux tomates
½ c. à thé de basilic

1. Cuire les nouilles manicotti, en suivant les directions sur l'emballage, pendant 12 minutes sur la cuisinière conventionnelle. Egoutter et mettre de côté.
2. Mélanger le ricotta, le mozzarella, 3 c. à table de parmesan, 1 c. à table de persil, 2 c. à thé de sucre, l'oeuf et le sel et le poivre au goût. Mettre de côté.
3. Enlever l'enveloppe des saucisses. Emietter la chair dans une casserole de 2 à 3 pintes (2 à 3 litres). Ajouter l'ail, l'oignon et 2 c. à table de persil.
4. Cuire à couvert environ 3 minutes, en remuant une fois pendant la cuisson.
5. Emietter le boeuf haché par dessus la viande de saucisse et mêler légèrement. Cuire à couvert 5 minutes, en remuant et en séparant la viande au moins une fois pendant la cuisson.
6. Ajouter les tomates, la sauce aux tomates, le basilic, 1 c. à thé de sucre et le sel et le poivre au goût.
7. Cuire à couvert pendant 10 minutes, en remuant de temps en temps.
8. Etaler une mince couche de sauce à la viande dans le fond de 2 plats à cuisson de 2 pintes (2 litres) chacun.
9. Remplir les tubes de manicotti avec le mélange de fromage. Déposer 10 tubes farcis, les uns près des autres, dans chaque plat. Couvrir avec le reste de la sauce.
10. Cuire bien couvert 20 minutes.
11. Découvrir. Saupoudrer avec ¼ de tasse de fromage parmesan râpé. Cuire 2 à 3 minutes ou jusqu'à ce que le fromage soit fondu.

Note: Cette recette donne 2 plats de manicotti. Vous pouvez en servir un immédiatement et congeler l'autre pour plus tard.

Macaroni maison

1 tasse de macaroni non cuit
1 livre (455 g) de boeuf haché
1 boîte (1 lb ou 455 g) de purée
  de tomates, *ou* 1 boîte
  (1 lb ou 455 g) de tomates
  mises en purée

½ c. à thé de sucre
½ c. à thé de basilic
1 c. à thé de sel
Poivre au goût
1 c. à table de persil haché

1. Cuire le macaroni sur la cuisinière selon le mode d'emploi sur le paquet. Mettre de côté.
2. Emietter le boeuf dans une casserole de 2 ou 3 pintes (2 ou 3 litres). Cuire à découvert environ 5 minutes, en remuant une fois pour briser la viande.
3. Ajouter la purée, le sucre, le basilic, le sel, le poivre au goût et le persil. Ajouter le macaroni.

AUX PAGES SUIVANTES: *à gauche,* Sauce à spaghetti, page 91; *à droite,* Macaroni au fromage, page 91.

4. Couvrir et cuire pendant 8 minutes, en remuant une fois pendant la cuisson.
5. Laisser reposer à couvert de 3 à 4 minutes avant de servir.

Variation: Pour étirer ce plat, employer 1 boîte de 1 livre 12 onces (795 g) de purée de tomates et 1½ tasse de macaroni au lieu de la quantité indiquée plus haut.

Nouilles et poulet   4 à 6 portions

1½ tasse de nouilles aux oeufs courtes	½ c. à thé de sel
2 à 3 tasses de restes de dinde ou de poulet coupés en morceaux	⅛ de c. à thé de poivre
	1 tasse de fromage Cheddar râpé
1 tasse de bouillon de poulet	¼ de tasse d'olives vertes farcies tranchées
½ tasse de lait	

1. Dans une casserole de 1½ à 2 pintes (1,5 à 2 litres) mêler les nouilles, le poulet, le bouillon de poulet, le lait, le sel et le poivre. Mélanger légèrement.
2. Couvrir et cuire environ 15 minutes ou jusqu'à ce que les nouilles soient tendres.
3. Incorporer le fromage et les olives. Laisser reposer jusqu'à ce que le fromage soit fondu avant de servir.

La spécialité du dimanche soir   4 à 6 portions

1 boîte (7 oz ou 198 g) de piments chili verts	½ tasse de fromage cottage ou ricotta
1 tasse de croustilles de maïs grossièrement écrasées	4 onces (113 g) de fromage Monterey Jack coupé en lanières
Viande (facultatif):	
2 saucisses italiennes douces, cuites et coupées en morceaux, *ou* ½ livre (227 g) de paleron de boeuf haché cuit, *ou* 1 tasse de porc cuit haché ou de jambon haché	2 oeufs
	1 tasse de lait
	½ c. à thé de sel
	½ tasse de fromage Cheddar ou parmesan râpé

1. Laver et essuyer les piments. Enlever toutes les graines qui restent. Couper en lanières de 1 pouce (2,5 cm) de largeur.
2. Foncer un moule à gâteau de 8 pouces (20 cm) de diamètre avec la moitié des croustilles de maïs. Disposer le tiers des piments sur le dessus des croustilles. Placer la viande, si désiré, sur le dessus des piments. Parsemer de fromage cottage. Ajouter un autre tiers des piments. Disposer le fromage Monterey Jack sur les piments. Placer les piments qui restent sur le dessus du fromage.
3. Battre ensemble les oeufs, le lait, et le sel. Verser sur le mélange dans la casserole. Saupoudrer le dessus de fromage Cheddar ou parmesan. Parsemer avec le reste des croustilles.
4. Cuire à découvert 9 à 10 minutes ou jusqu'à ce que la crème soit prise.
5. Retirer du four et laisser reposer couvert 3 à 4 minutes.

Quiche suisse à l'oignon

6 à 8 portions

4 tranches de bacon
1 gros oignon tranché mince
1 c. à table de beurre ou de margarine
1 croûte de tarte cuite de 9 pouces (23 cm) de diamètre
½ livre (227 g) de fromage suisse râpé

1 c. à table de farine tout usage
3 oeufs légèrement battus
1 tasse de lait
½ c. à thé de sel
⅛ de c. à thé de poivre

1. Mettre les tranches de bacon sur 2 serviettes de papier. Recouvrir d'une autre serviette de papier. Cuire environ 3 minutes, ou jusqu'à ce que le bacon soit presque croustillant. Mettre le bacon de côté.
2. Mélanger l'oignon et le beurre dans une casserole de 1 pinte (1 litre).
3. Couvrir et cuire 3 à 4 minutes ou jusqu'à ce que l'oignon soit mou.
4. Mettre l'oignon dans le fond de tarte déjà cuit. Mélanger ensemble le fromage et la farine et saupoudrer sur l'oignon. Battre ensemble les oeufs, le lait, le sel et le poivre. Verser sur le fromage.
5. Cuire 10 minutes en tournant à toutes les 2 minutes.
6. Placer les tranches de bacon sur le dessus de la tarte. Cuire 2 à 3 minutes ou jusqu'à ce que la crème soit presque prise. Laisser reposer 10 à 15 minutes pour achever la cuisson.

Faux manicotti

10 à 12 portions

1 paquet de 8 onces (227 g) de nouilles aux oeufs larges
1 livre (455 g) de boeuf haché
1 boîte (16 oz ou 455 g) de sauce aux tomates
1 livre (455 g) de fromage cottage
¼ de tasse de crème sure commerciale

1 échalote hachée avec la queue
1 c. à table de piment vert haché
1 c. à table de persil haché
Sel et poivre au goût
2 c. à table de margarine ou de beurre fondu

1. Cuire les nouilles aux oeufs sur la cuisinière selon le mode d'emploi indiqué sur le paquet. Mettre de côté.
2. Emietter le boeuf haché dans une casserole de 3 pintes (3 litres). Cuire, sans couvrir, environ 5 minutes, en remuant occasionnellement pour séparer les grains de viande.
3. Incorporer la sauce aux tomates. Couvrir et cuire environ 5 minutes.
4. Mélanger le fromage cottage, la crème sure, l'échalote, le piment vert, le persil et le sel et le poivre au goût.
5. Mettre la moitié des nouilles cuites dans le fond d'une casserole de 3 pintes (3 litres). Les recouvrir du mélange de fromage. Mettre ensuite le reste des nouilles. Verser le beurre fondu sur le dessus. Recouvrir avec le boeuf haché.
6. Couvrir et cuire 5 à 8 minutes, ou jusqu'à ce que la préparation soit très chaude.

Note: Cette préparation peut être faite dans deux petites casseroles. En faire chauffer une pour le dîner et congeler l'autre pour un usage ultérieur.

Macaroni vite fait

4 portions

½ livre (227 g) de boeuf haché
1 tasse de coudes de macaroni non cuit

⅓ de tasse de catsup
Une pincée de sucre
½ c. à thé de sel

1 oignon moyen haché	¼ de c. à thé de poivre
1 boîte (8 oz ou 227 g) de sauce aux tomates	¼ de c. à thé de poudre chili

1. Mélanger tous les ingrédients avec 1½ tasse d'eau dans une casserole de 2 à 2½ pintes (2 à 2,5 litres). Bien remuer.
2. Bien couvrir et cuire environ 15 minutes ou jusqu'à ce que le macaroni soit tendre. Remuer occasionnellement pendant la cuisson.
3. Laisser reposer 4 à 5 minutes avant de servir pour bien marier les saveurs.

Sauce à spaghetti   à peu près 2 pintes (2 litres)

½ livre (227 g) de boeuf haché	2 c. à thé de sel
½ tasse d'oignon haché	2 c. à thé d'origan
2 gousses d'ail émincées	¼ de c. à thé de basilic
1 boîte (28 oz ou 795 g) de tomates	¼ de c. à thé de thym moulu
2 boîtes (6 oz ou 170 g chacune) de concentré de tomates	Poivre frais moulu, au goût

1. Emietter le boeuf dans une casserole de 3 pintes (3 litres). Ajouter l'oignon et l'ail.
2. Cuire à découvert 6 minutes, en remuant au moins deux fois pour détacher la viande.
3. Ajouter le reste des ingrédients. Ecraser les tomates avec une fourchette ou un pilon.
4. Cuire à couvert à près 15 minutes ou jusqu'à ce que la préparation soit homogène et quelque peu épaissie.
5. Couvrir et laisser reposer 5 minutes.
6. Servir bouillant sur le spaghetti chaud.

Macaroni au fromage   4 portions

1½ tasse de macaroni non cuit	Poivre frais moulu, au goût
2 c. à table de beurre ou de margarine	1 tasse de lait
2 c. à table de farine tout usage	2 tasses de fromage Cheddar fort râpé, divisé
¼ de c. à thé de sel	¼ de tasse de miettes de craquelins
½ c. à thé de sauce Worcestershire	Tranches de tomate (facultatif)
½ c. à thé de moutarde préparée	

1. Faire cuire le macaroni sur la cuisinière conventionelle selon le mode d'emploi. Egoutter et réserver.
2. Faire fondre le beurre 30 secondes dans une casserole de 2 pintes (2 litres).
3. Ajouter la farine en remuant avec le sel, la sauce Worcestershire, la moutarde et le poivre. Cuire à découvert 30 secondes.
4. Ajouter peu à peu le lait en tournant. Cuire à découvert 2½ à 3 minutes en remuant à l'occasion pendant la dernière moitié de cuisson.
5. Incorporer 1½ tasse de fromage râpé et continuer à remuer jusqu'à ce que le fromage soit fondu. Si le fromage n'est pas fondu, cuire 30 secondes ou jusqu'à ce qu'il soit fondu.
6. Mélanger le macaroni cuit et la sauce. Couvrir avec le reste du fromage, les miettes de craquelins et les tranches de tomate, si désiré.
7. Cuire à découvert 3 à 4 minutes, ou jusqu'à ce que le fromage soit fondu et que le macaroni soit bouillant.
8. Laisser reposer environ 4 minutes avant de servir.

CI-CONTRE: Betteraves à la Harvard, page 99.

Les Légumes

Du fait qu'ils sont cuits dans très peu d'eau, sous couvercle hermétique et en très peu de temps, les légumes cuits dans le four à micro-ondes conservent toutes leurs substances nutritives et, ce qui est tout aussi important, ils retiennent toute leur saveur et leur couleur. Les légumes doivent être cuits à la chinoise, c'est à dire jusqu'à ce qu'ils soient croquants, car comme presque tous les aliments cuits aux micro-ondes, ils continueront à cuire en dehors du four. Afin d'assurer une cuisson égale, on doit tailler les légumes en morceaux de même grosseur et les remuer de temps à autre en cours de cuisson.

Coeurs d'artichauts

3 à 4 portions

Placer un paquet de 10 onces (283 g) de coeurs d'artichauts congelés dans une casserole de 1 pinte (1 litre). Ajouter 2 à 3 c. à table d'eau. Couvrir et cuire 4 à 5 minutes ou jusqu'à ce que les coeurs d'artichauts soient tendres. Remuer une fois pendant la cuisson.

Coeurs d'artichauts aux champignons

3 à 4 portions

1 paquet de 10 onces (283 g) de coeurs d'artichauts congelés
1 boîte (4 oz ou 113 g) de champignons tranchés
1½ c. à thé de fécule de maïs
2 c. à table de sherry sec
2 c. à table de beurre ou de margarine

½ c. à thé de jus de citron
Sel et poivre
Sel d'oignon
Sel d'ail
1 c. à table de persil haché

1. Cuire les coeurs d'artichauts suivant les instructions précédentes. Mettre de côté.
2. Egoutter les champignons et réserver le jus.
3. Mêler dans un plat de 1 pinte (1 litre) la fécule de maïs, le sherry, le beurre, le jus de citron et le jus des champignons.
4. Cuire à découvert de ½ à 1 minute ou jusqu'à ce que le mélange soit épais et transparent. Lier bien.
5. Assaisonner au goût de sel, poivre, sel d'ail et sel d'oignon. Incorporer le persil. Couper les coeurs d'artichauts en deux et les ajouter ainsi que les champignons. Remuer doucement.
6. Couvrir et cuire 2 à 3 minutes ou jusqu'à ce que le tout soit très chaud.

94

Asperges

3 à 4 portions

Acheter des asperges bien vertes, droites, fermes et avec des pointes bien fournies. Choisir les tiges de grosseur uniforme afin qu'elles prennent toutes le même temps de cuisson.

Casser les tiges le plus bas que possible, à l'endroit où elles cèdent facilement. Nettoyer légèrement avec une brosse douce. Si nécessaire enlever une mince pelure sur les tiges avec un couteau à légumes. Cette dernière méthode est recommandée si les tiges sont fortes et dures et si les asperges sont sableuses.

Etendre 1 livre (455 g) de pointes d'asperges dans un plat peu profond. Ajouter ¼ de tasse d'eau. Couvrir et cuire 6 à 7 minutes ou jusqu'à ce que les asperges soient tendres.

Asperges congelées

2 à 3 portions

Placer un paquet de 10 onces (283 g) d'asperges congelées dans une casserole de 1 pinte (1 litre). Couvrir et cuire 8 à 9 minutes. Intervertir la position des asperges dans le plat une fois pendant la cuisson.

Asperges vinaigrette

5 à 6 portions

24 pointes d'asperges fraîches	**½ c. à thé de sucre**
6 c. à table d'huile	**¼ de c. à thé de sel**
3 c. à table de vinaigre	**1 petit oignon tranché**
⅛ de c. à thé de sauce Tabasco	**Lanières de piment rouge**

1. Cuire les pointes d'asperges de 6 à 7 minutes. Refroidir. Placer dans un plat peu profond.
2. Mélanger tous les autres ingrédients, sauf le piment, et mêler bien. Verser sur les asperges et placer au réfrigérateur plusieurs heures ou toute la nuit.
3. Lier 4 ou 5 asperges à la fois avec une lanière de piment. Servir comme légume froid ou placer sur un lit de laitue et servir comme salade.

Haricots verts

3 à 4 portions

Choisir 1 livre (455 g) de haricots bien verts, fermes, et mûris à point. Les laver. Enlever les extrémités et couper ou casser en morceaux de grosseur uniforme. Placer les haricots dans une casserole de 1 pinte (1 litre). Ajouter ⅓ de tasse d'eau. Couvrir et cuire 12 à 14 minutes, ou jusqu'à ce que les haricots soient tendres à votre goût. Assaisonner et servir.

Haricots verts congelés

2 à 3 portions

Placer un paquet (10 oz ou 283 g) de haricots verts congelés dans une casserole de 1 pinte (1 litre). Ajouter 3 c. à table d'eau. Couvrir et cuire 7 à 8 minutes, ou jusqu'à ce que ce soit prêt.

Haricots verts pimentés

3 à 4 portions

1 livre (455 g) de haricots verts	**¼ de tasse d'amandes mondées**
2 c. à table d'huile	**et effilées**
½ piment doux, rouge ou vert,	**Sel et poivre au goût**
épépiné et coupé en tranches	**1 c. à table de persil haché**
minces	

1. Cuire les haricots suivant les instructions précédentes. Couvrir et laisser reposer.
2. Combiner l'huile, le piment et les amandes dans une casserole de 1 pinte (1 litre).
3. Cuire à découvert 3 à 4 minutes ou jusqu'à ce que le piment soit mou.
4. Incorporer aux haricots verts. Assaisonner de sel et poivre au goût.
5. Saupoudrer de persil et servir chaud.

CI-CONTRE: Aubergine farcie, Piments verts farcis, page 102; Tomates surprise, page 103.

Haricots verts à l'italienne   6 portions

2 paquets (10 oz ou 283 g chacun)   ¾ de tasse de vinaigrette
de haricots verts congelés   italienne en bouteille
1 petit oignon tranché mince   3 tranches de bacon cuit

1. Placer les haricots dans une casserole de 1 ½ pinte (1,5 litre).
2. Cuire à couvert 7 à 8 minutes ou jusqu'à ce que les haricots soient presque tendres, en remuant une fois pendant la cuisson.
3. Ajouter l'oignon et la vinaigrette.
4. Cuire à couvert environ 3 minutes ou jusqu'à ce que les haricots soient tendres et croustillants.
5. Emietter le bacon cuit sur le dessus et servir chaud.

Haricots verts piquants   3 à 4 portions

1 livre (455 g) de haricots verts   1 c. à table de sauce
2 c. à table de beurre ou de   Worcestershire
margarine   Sel et poivre au goût
1 c. à thé de moutarde préparée

1. Cuire les haricots selon les instructions à la page 95.
2. Quand les haricots sont tendres, ajouter le reste des ingrédients et remuer légèrement jusqu'à ce que le beurre fonde et que les haricots soient couverts de ce mélange.

Haricots verts à la sarriette   3 à 4 portions

1 livre (455 g) de haricots verts   1 c. à thé de sauce
2 c. à table d'huile d'olive   Worcestershire
1 gousse d'ail émincée   ¼ de c. à thé de sarriette
1 c. à thé de catsup   Sel au goût

1. Cuire les haricots suivant les instructions à la page 95. Couvrir et garder chaud.
2. Mélanger l'huile et l'ail dans un plat de service de 1 pinte (1 litre).
3. Cuire à découvert 1 ½ minute ou jusqu'à ce que l'ail soit tendre.
4. Ajouter le catsup, la sauce Worcestershire et la sarriette. Ajouter les haricots et mêler doucement. Assaisonner de sel au goût.

Fèves de Lima congelées

3 à 4 portions

Placer 1 paquet de 10 onces (283 g) de petites fèves de Lima congelées dans une casserole de 1 pinte (1 litre). Ajouter ¼ de tasse d'eau. Cuire à couvert de 9 à 10 minutes ou jusqu'à ce qu'elles soient tendres. Remuer une fois pendant la cuisson.

Fèves de Lima parmesan

3 à 4 portions

1 paquet de 10 onces (283 g) de petites fèves de Lima congelées	1 gousse d'ail
¼ de tasse de bouillon de poulet	Sel et poivre au goût
1 feuille de laurier	Fromage parmesan râpé

1. Placer les fèves de Lima dans une casserole de 1½ pinte (1,5 litre). Ajouter le bouillon de poulet, la feuille de laurier et l'ail.
2. Cuire à couvert 9 à 10 minutes ou jusqu'à ce que les fèves soient tendres.
3. Retirer la feuille de laurier et l'ail. Assaisonner au goût de sel et de poivre. Saupoudrer de fromage parmesan râpé et servir.

Betteraves

4 portions

Bien laver et couper les feuilles et les bouts de racines d'une botte de betteraves (4 à 5 moyennes). Les placer dans un bol à mélanger profond (2½ pintes ou 2,5 litres) avec assez d'eau pour les recouvrir. Couvrir d'une pellicule plastique. Cuire 20 à 25 minutes ou jusqu'à ce que les betteraves puissent être percées facilement avec la pointe d'un couteau. Egoutter et retirer la peau en la faisant glisser avec les doigts. Servir entières ou tranchées.

Betteraves dans une sauce à l'orange

4 portions

1 boîte (1 lb ou 455 g) de betteraves en dés	¼ de tasse de jus d'orange
1 c. à table de fécule de maïs	2 c. à table de jus de citron
¾ de c. à thé de sel	½ c. à thé de zeste d'orange
1½ c. à table de sucre	1 c. à table de beurre ou de margarine

1. Egoutter les betteraves et réserver le jus. Verser le jus dans une tasse à mesurer et ajouter assez d'eau pour obtenir ½ tasse de liquide.
2. Mélanger la fécule de maïs, le sel, le sucre et le jus d'orange dans un plat de 1 pinte (1 litre). Incorporer le liquide de betteraves.
3. Cuire à découvert 2½ à 3 minutes ou jusqu'à ce que le mélange bouille et devienne clair.
4. Ajouter le jus de citron, le zeste d'orange et le beurre. Remuer pour faire fondre le beurre. Ajouter les betteraves.
5. Cuire à découvert environ 3 minutes ou jusqu'à ce que les betteraves soient très chaudes.

Betteraves à la Harvard

4 portions

1 boîte (1 lb ou 455 g) de betteraves tranchées ou en dés
¼ de tasse de sucre
1 c. à table de fécule de maïs

½ c. à thé de sel
Poivre frais moulu, au goût
¼ de tasse de vinaigre

1. Egoutter les betteraves; en réserver le jus. Verser le jus des betteraves dans une tasse à mesurer et ajouter assez d'eau pour obtenir 1 tasse de liquide.
2. Mélanger le sucre, la fécule de maïs, le sel, le poivre et le vinaigre dans un plat ou une casserole de 1 pinte (1 litre). Incorporer le liquide des betteraves.
3. Cuire à découvert 2½ à 3 minutes, en remuant occasionnellement ou jusqu'à ce que la préparation devienne épaisse et transparente.
4. Ajouter les betteraves et mélanger légèrement.
5. Couvrir et cuire environ 3 minutes ou jusqu'à ce que les betteraves soient très chaudes.

Betteraves marinées

2 tasses

1 boîte (1 lb ou 455 g) de betteraves tranchées
⅓ de tasse de sucre

⅓ de tasse de vinaigre
1 c. à thé d'épices à marinades

1. Egoutter les betteraves et réserver ⅓ de tasse de jus. Placer les betteraves dans une casserole de 1 pinte (1 litre) avec le sucre, le jus des betteraves et le vinaigre. Attacher les épices dans un sac et ajouter aux betteraves.
2. Couvrir et cuire 4 à 5 minutes ou jusqu'à ce que le mélange vienne à ébullition.
3. Refroidir et enlever le sac d'épices.

Note: Mises en pots, les betteraves se conservent pendant 2 semaines au réfrigérateur.

99

Brocoli

4 portions

Peler les tiges d'une botte de brocoli d'environ 1½ livre (682 g). Enlever les feuilles et couper une tranche au bout du pied. Fendre les tiges sur environ 1 pouce (2,5 cm) de hauteur pour assurer une cuisson plus rapide et plus égale. Disposer dans une casserole de 1½ pinte (1,5 litre), les tiges fendues vers l'extérieur de la casserole. Ajouter ¼ de tasse d'eau. Couvrir et cuire 7 à 9 minutes ou jusqu'à ce que le brocoli soit tendre.

Brocoli congelé

2 à 3 portions

Mettre un paquet de 10 onces (283 g) de brocoli congelé dans une casserole de 1 pinte (1 litre). Couvrir et cuire 7 à 8 minutes, en prenant soin de retourner et séparer les tiges après les 3 premières minutes de cuisson.

CI-CONTRE: Chou-fleur et tomates, page 105; Pommes de terre au four, page 107.

Brocoli à l'indienne   3 à 4 portions

1 **botte de brocoli d'environ 1½**   2 **c. à table de jus de citron**
  livre (682 g)   1 **c. à table de beurre ou de**
⅓ **de tasse de bouillon de poulet**   **margarine**
1 **feuille de laurier**   **Sel au goût**
¼ **de c. à thé de thym**

1. Laver le brocoli. Enlever les morceaux durs du bas des tiges ainsi que les feuilles et la peau des tiges. Couper les tiges en morceaux en laissant les fleurs intactes.
2. Placer les morceaux, les tiges vers l'extérieur et les fleurs au centre d'une casserole de 1½ pinte (1,5 litre). Ajouter le bouillon de poulet, la feuille de laurier et le thym.
3. Couvrir et cuire 6 à 7 minutes ou jusqu'à tendreté.
4. Oter la feuille de laurier et ajouter le jus de citron et le beurre. Mélanger légèrement et saler au goût.

Choux de Bruxelles congelés   3 à 4 portions

Placer un paquet de 10 onces (283 g) de choux de Bruxelles congelés dans une casserole de 1 pinte (1 litre). Ajouter ¼ de tasse d'eau. Couvrir et cuire 10 à 11 minutes ou jusqu'à ce qu'ils soient tendres, en remuant une ou deux fois pendant la cuisson.

Chou   3 à 4 portions

100

Choisir un chou avec des feuilles fraîches qui est lourd pour sa grosseur. Les choux nouveaux devraient être d'une belle couleur verte mais avec des feuilles un peu détachées. Les choux murs sont plus pâles et très compacts. Le chou rouge cuit fait un changement intéressant et on le choisit et le fait cuire de la même façon que le chou vert.

Enlever les feuilles extérieures et laver le chou entier à l'eau courante. Couper en quartiers. Oter presque tout le coeur.

Avec un couteau très aiguisé, trancher la moitié d'un chou moyen en bandes. Mettre dans une casserole de 1½ pinte (1,5 litre) avec 2 c. à table d'eau. Couvrir et cuire 6 à 7 minutes, en remuant une fois pendant la cuisson. Assaisonner au goût et servir chaud.

Chou à la norvégienne   3 à 4 portions

½ **chou**   ½ **c. à thé de graines d'anis**
½ **tasse de crème sure**   **Sel et poivre au goût**
  commerciale

1. Couper le chou en lanières. Cuire 6 à 7 minutes. Egoutter.
2. Mêler légèrement avec la crème sure et l'anis. Assaisonner de sel et poivre au goût. Servir chaud.

Chou aigre-doux

4 à 6 portions

4 tasses de chou haché
2 pommes pelées, évidées, et finement hachées
¼ de tasse de cassonade

1 c. à thé de sel
⅛ de c. à thé de poivre
½ tasse de beurre
¼ de tasse de vinaigre

1. Placer le chou dans une casserole en verre de 1½ pinte (1,5 litre). Mélanger le reste des ingrédients et verser sur le chou.
2. Cuire à couvert 6 à 7 minutes ou jusqu'à ce que le chou soit tendre. Remuer une fois pendant la cuisson.

Aubergine farcie

4 portions

2 aubergines moyennes
2 oignons moyens hachés
1 livre (455 g) d'agneau haché
1 cube de bouillon de boeuf
1 boîte (8 oz ou 227 g) de sauce aux tomates

½ c. à thé d'origan
2 c. à table de persil haché
½ c. à thé de sel
¼ de c. à thé de poivre
½ tasse de chapelure

1. Laver les aubergines et les couper en deux dans le sens de la longueur. Enlever l'intérieur en laissant 1 pouce (2,5 cm) de pulpe autour. Hacher la chair en morceaux moyens.
2. Mettre l'oignon dans une casserole de 1½ pinte (1,5 litre). Emietter l'agneau et mêler. Cuire à couvert environ 5 minutes ou jusqu'à ce que l'agneau perde sa couleur rosée. Enlever le gras fondu.
3. Dissoudre le cube de bouillon dans ½ tasse d'eau chaude. Incorporer à l'agneau cuit avec 3 c. à table de sauce aux tomates et l'aubergine hachée.
4. Cuire à couvert environ 5 minutes, en remuant occasionnellement.
5. Retirer du four. Incorporer l'origan, le persil, le sel et le poivre. Farcir les aubergines avec ce mélange. Parsemer de chapelure. Strier la chapelure avec le reste de la sauce aux tomates.
6. Placer les moitiés d'aubergines dans un plat à cuisson en verre. Cuire à couvert environ 8 minutes ou jusqu'à ce que les aubergines soient tendres.

Piments verts farcis

4 à 6 portions

4 gros piments verts
1 livre (455 g) de boeuf haché
1 oignon moyen haché fin
1 c. à thé de sel

¼ de c. à thé de poivre
1½ tasse de riz cuit
1 boîte (16 oz ou 455 g) de sauce aux tomates

1. Laver les piments. Couper en deux sur la longueur. Epépiner et enlever les filaments blancs.
2. Emietter le boeuf dans une casserole en verre de 1½ pinte (1,5 litre). Ajouter l'oignon. Cuire à découvert environ 5 minutes, en remuant une fois pendant la cuisson pour séparer les grains de viande. Cuire jusqu'à ce que la viande perde sa couleur rouge.
3. Ajouter le sel, le poivre, le riz et la moitié de la sauce aux tomates. Remplir les moitiés de piments avec le mélange en formant un petit monticule au centre. Verser un peu du reste de la sauce aux tomates sur le dessus de chacun des piments.
4. Cuire à couvert 8 à 10 minutes ou jusqu'à ce que les piments soient tendres.

Riz cuit

2 tasses de riz long grain   **1 c. à thé de sel**

1. Mélanger le riz, le sel, et 2 tasses d'eau bouillante dans une casserole de 1½ à 2 pintes (1,5 à 2 litres).
2. Cuire à couvert pendant 13 à 15 minutes ou jusqu'à presque tendre.
3. Laisser reposer à couvert 3 à 4 minutes. Soulever avec une fourchette avant de servir.

Tomates surprise   8 portions

8 petites tomates fermes	**1 gros oignon haché**
¼ de tasse de persil haché	**8 oeufs**
¼ de tasse de beurre ou de margarine	**Sel et poivre au goût**

1. Couper le dessus des tomates. Enlever la chair. Retourner les tomates sur des serviettes de papier pour les égoutter. Jeter les pépins. Couper la chair et mêler avec le persil.
2. Mêler le beurre et l'oignon dans un bol. Cuire à couvert 4 minutes. Ajouter le mélange du persil et de la chair des tomates.
3. Bien brasser le mélange et diviser entre les tomates. Casser un oeuf dans chacune des tomates. Assaisonner légèrement de sel et poivre.
4. Placer les tomates dans un plat à four. Cuire à couvert environ 45 secondes ou jusqu'à ce que les oeufs soient cuits au goût.

Carottes congelées   3 à 4 portions

Placer un paquet (10 oz ou 283 g) de carottes congelées dans une casserole de 1 pinte (1 litre).

Cuire à couvert 7 à 8 minutes, en remuant une fois pendant la cuisson.

Carottes   3 à 4 portions

Bien laver les carottes. Les petites carottes du printemps peuvent être laissées entières. Les carottes mûres doivent être grattées ou pelées. Couper les carottes en rondelles minces ou en julienne.

Préparer 6 carottes moyennes. Placer dans une casserole de 1 à 1½ pinte (1 à 1,5 litre). Ajouter 2 c. à table d'eau. Couvrir et cuire 7 à 8 minutes, en remuant une fois pendant la cuisson. Egoutter, assaisonner au goût et servir.

Carottes aux canneberges   4 portions

6 à 8 carottes	**¼ de tasse de sauce aux canneberges en gelée**
¼ de tasse de beurre ou de margarine	**Sel et poivre au goût**

1. Cuire les carottes suivant les instructions précédentes. Ajouter environ 1 minute de cuisson pour une plus grande quantité de carottes.
2. Mettre le beurre dans une casserole de 1½ à 2 pintes (1,5 à 2 litres). Cuire 1½ à 2 minutes ou jusqu'à ce que le beurre soit fondu.
3. Ajouter la sauce aux canneberges. Cuire environ 1 minute, en remuant une ou deux fois, pour faire fondre la sauce aux canneberges.
4. Ajouter les carottes cuites et remuer doucement. Assaisonner de sel et poivre au goût.

Carottes glacées piquantes   3 à 4 portions

6 carottes
⅓ de tasse de jus d'orange
2 c. à table de sucre
**¼ de c. à thé de clou de girofle
  moulu**

¼ de c. à thé de sel
**½ bocal (5 oz ou 142 g) de
  fromage à tartiner à l'ananas**

1. Peler les carottes. Couper en rondelles. Cuire selon les directions.
2. Combiner le jus, le sucre, le clou, le sel et le fromage. Bien mêler. Verser le mélange sur les carottes chaudes.
3. Cuire à découvert environ 1½ minutes ou jusqu'à ce que le fromage fonde et que le mélange soit très chaud.

Chou-fleur   3 à 4 portions

Enlever les feuilles extérieures et les tiges d'un chou-fleur moyen. Séparer les fleurettes. Placer dans une casserole de 1½ pinte (1,5 litre). Ajouter 2 à 3 c. à table d'eau. Cuire 7 à 8 minutes ou jusqu'à tendreté. Remuer une fois pendant la cuisson.

Chou-fleur congelé   3 à 4 portions

Placer un paquet (10 oz ou 283 g) de chou-fleur congelé dans une casserole de 1 pinte (1 litre). Cuire à couvert 7 à 8 minutes, en remuant une fois pendant la cuisson.

104

Chou-fleur au gratin   4 portions

1 chou-fleur moyen
3 c. à table d'huile d'olive
1 gros oignon tranché mince
¼ de c. à thé de sel

Un soupçon de poivre
¼ de tasse de chapelure
**¼ de tasse de fromage Cheddar
  râpé**

1. Enlever les feuilles extérieures et les tiges d'un chou-fleur moyen. Séparer les fleurettes. Cuire suivant le mode d'emploi indiqué plus haut.
2. Mettre l'huile d'olive dans une casserole de 1 pinte (1 litre). Ajouter l'oignon. Cuire à découvert environ 4 minutes ou jusqu'à ce que l'oignon soit tendre et mou. Remuer une ou deux fois pendant la cuisson.
3. Ajouter le sel, le poivre et la chapelure.
4. Egoutter le chou-fleur et le laisser dans sa casserole. Recouvrir du mélange d'oignon. Saupoudrer de fromage.
5. Cuire à découvert 1½ à 2 minutes ou jusqu'à ce que le fromage soit fondu et le chou-fleur très chaud.

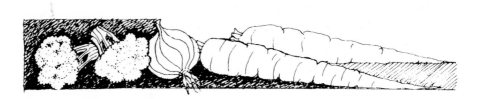

Chou-fleur et tomates

4 portions

1 chou-fleur moyen	½ tasse de tomates cuites
1 gousse d'ail	1 c. à thé de persil haché
3 c. à table d'huile d'olive	2 c. à table de fromage parmesan
½ c. à thé de sel	râpé

1. Enlever les feuilles et les tiges du chou-fleur. Séparer les fleurettes. Cuire suivant les directions mais un peu moins longtemps.
2. Combiner l'ail et l'huile dans une casserole de 1½ pinte (1,5 litre). Cuire à découvert 1 minute.
3. Enlever l'ail. Egoutter le chou-fleur chaud et ajouter à l'huile.
4. Cuire à découvert 2 minutes.
5. Ajouter le sel et les tomates. Cuire à couvert 4 minutes ou jusqu'à ce que ce soit très chaud. Remuer une ou deux fois pendant la cuisson.
6. Saupoudrer de persil et de fromage et servir immédiatement.

Céleri

3 portions

Enlever les feuilles et le bout d'un pied de céleri. Séparer les branches et bien laver. Enlever toutes les parties endommagées avec un couteau. Se servir des branches extérieures pour faire cuire et garder le coeur pour servir cru.

Couper les branches en morceaux de 1½ pouce (3,7 cm). Employer 6 branches pour faire environ 4 tasses de céleri en morceaux. Placer dans une casserole de 1½ pinte (1,5 litre). Ajouter 3 à 4 c. à table d'eau. Cuire à couvert 8 à 9 minutes ou jusqu'à ce que le céleri soit tendre. Remuer une fois pendant la cuisson. Egoutter et assaisonner au goût.

Céleri aigre-doux

3 à 4 portions

2 tasses de céleri tranché mince	3 c. à table de vinaigre
1 feuille de laurier	2 c. à table de beurre ou de
3 clous de girofle entiers	margarine
2 c. à table de sucre	Sel et poivre au goût

1. Placer le céleri, la feuille de laurier, les clous, et ¼ de tasse d'eau dans une casserole de 1½ pinte (1,5 litre).
2. Cuire à couvert 8 à 9 minutes ou jusqu'à tendreté.
3. Ajouter le sucre, le vinaigre et le beurre. Remuer doucement. Cuire à couvert 1 minute ou jusqu'à ce que le beurre soit fondu et le céleri très chaud.
4. Assaisonner de sel et poivre au goût et servir.

Epis de blé d'Inde

Choisir des épis de blé d'Inde avec des feuilles vertes et fraîches, non séchées. Enlever les feuilles, les cheveux et toutes les imperfections sur les épis juste avant la cuisson.

Envelopper chaque épi dans un morceau de papier ciré et tourner les bouts en serrant bien le papier. Placer au four avec un espace de 1 pouce (2,5 cm) entre chacun des épis. Ne pas faire cuire plus de 4 épis à la fois. Cuire de 6 à 7 minutes ou jusqu'à tendreté.

Pour du maïs congelé suivre les mêmes instructions et cuire environ 12 minutes.

Maïs en grains congelé

Placer un paquet (10 oz ou 283 g) de maïs en grains congelé dans une casserole de 1 pinte (1 litre). Cuire à couvert de 5 à 6 minutes, en remuant une fois pendant la cuisson.

Pouding au blé d'Inde   4 portions

2 c. à table de beurre ou de margarine
2 c. à table de farine tout usage
1 boîte (1 lb ou 455 g) de blé d'Inde en grains égoutté

2 tasses de lait
2 oeufs bien battus
1 c. à thé de sel
½ c. à thé de poivre

1. Faire fondre le beurre dans une casserole de 1½ pinte (1,5 litre) pendant 30 secondes.
2. Incorporer la farine pour obtenir une pâte lisse. Ajouter le reste des ingrédients et bien mélanger.
3. Cuire à couvert 9 minutes, en remuant une fois pendant la cuisson.
4. Laisser reposer, couvert lâchement, environ 2 minutes avant de servir.

Note: Très bon pour un repas copieux avec du jambon ou des côtelettes de porc.

Aubergine à l'italienne   6 portions

4 tranches de bacon
1 oignon moyen haché
1 piment vert moyen, épépiné et haché
1 aubergine de 1 livre (455 g)
2 c. à thé de sel

¼ de c. à thé de poivre
1 boîte (8 oz ou 227 g) de sauce aux tomates
½ tasse de fromage parmesan râpé

1. Placer le bacon sur une soucoupe renversée dans le fond d'un plat en verre oblong. Couvrir de papier ciré. Cuire environ 5 minutes ou jusqu'à ce que le bacon soit croustillant. Mettre de côté le bacon et la graisse de bacon.
2. Mettre l'oignon et le piment dans une casserole de 1½ pinte (1,5 litre). Verser la graisse de bacon sur l'oignon.
3. Cuire à couvert environ 3 minutes.
4. Peler l'aubergine et couper en cubes. Ajouter au mélange d'oignon dans la casserole ainsi que le sel, le poivre, la sauce aux tomates et 1 tasse d'eau.
5. Cuire à couvert environ 6 minutes.
6. Retirer du four et saupoudrer le fromage parmesan sur le dessus. Emietter le bacon et parsemer sur le fromage.
7. Cuire à couvert 6 minutes.
8. Laisser reposer environ 4 minutes avant de servir.

Champignons sautés   2 à 4 portions

½ livre (227 g) de champignons frais

1 gousse d'ail émincée
⅓ de tasse de beurre ou de margarine

1. Nettoyer et trancher les champignons. Placer dans un plat rond ou un poêlon de verre de 8 pouces (20 cm) de diamètre. Ajouter l'ail et le beurre.
2. Cuire à couvert 4 à 5 minutes.
3. Servir avec un rosbif ou un bifteck ou sur des rôties comme mets principal.

Petits pois   4 portions

Ecosser 2 livres (910 g) de petits pois frais et placer dans une casserole de 1½ pinte (1,5 litre). Ajouter 2 à 3 c. à table d'eau. Cuire à couvert 7 à 8 minutes, en remuant une fois pendant la cuisson. Assaisonner au goût et servir.

Petits pois congelés   3 à 4 portions

Placer un paquet de 10 onces (283 g) de petits pois dans une casserole de 1 pinte (1 litre). Cuire à couvert 5 à 6 minutes, en remuant une fois pendant la cuisson.

Pommes de terre au four

Choisir des pommes de terre de grosseur uniforme si possible afin qu'elles prennent le même temps de cuisson. Nettoyer les pommes de terre avec une brosse raide. Enlever toutes les taches avec un couteau pointu. Enlever une mince tranche à un bout de chacune des pommes de terre. Piquer la surface entière de chaque pomme de terre à l'aide d'une fourchette.

   Placer les pommes de terre sur des serviettes de papier dans le four en gardant un espace de 1 pouce (2,5 cm) entre chacune. Cuire suivant le temps indiqué au tableau. Comme il est facile de vérifier si les pommes de terre sont cuites, il est préférable de choisir un temps minimum et de continuer la cuisson si nécessaire.

2 petites	5 à 6 minutes
4 petites	8 à 9 minutes
6 petites	11 à 13 minutes
1 moyenne	5 à 6 minutes
2 moyennes	8 à 9 minutes
4 moyennes	12 à 14 minutes

Pommes de terre bouillies   4 portions

Peler les pommes de terre et couper en quartiers si elles sont petites et en huit morceaux si elles sont plus grosses. Les morceaux devraient être de même grosseur pour une cuisson uniforme. Peler 4 pommes de terre moyennes et couper. Placer dans une casserole de 1½ pinte (1,5 litre). Couvrir d'eau et ajouter ½ c. à thé de sel. Cuire à couvert de 8 à 12 minutes ou jusqu'à ce que les pommes de terre soient tendres.

Pommes de terre alsaciennes   4 portions

⅓ de tasse de beurre ou de margarine	4 pommes de terre cuites, froides
½ tasse d'oignon grossièrement haché	Sel et poivre au goût

1. Mettre le beurre et l'oignon dans une casserole de 1½ pinte (1,5 litre). Cuire à découvert 6 minutes, en remuant occasionnellement.
2. Peler et couper les pommes de terre en petits morceaux. Incorporer aux oignons dans la casserole. Assaisonner au goût. Cuire à découvert 4 à 5 minutes, en remuant occasionnellement.

Pommes de terre à la normande

6 à 8 portions

5 tasses de pommes de terre (environ 6 moyennes) pelées et tranchées minces
3 oignons tranchés
Sel et poivre au goût
3 c. à thé de moutarde sèche
3 c. à table de fromage parmesan râpé, divisées

3 c. à table de farine tout usage
3 c. à table de beurre ou de margarine
3 tasses de lait
Paprika

1. Couvrir le fond d'une casserole de 3 pintes (3 litres) avec le tiers des pommes de terre et couvrir avec le tiers des oignons. Ajouter du sel et du poivre au goût. Saupoudrer de 1 c. à thé de moutarde, 1 c. à table de fromage et 1 c. à table de farine. Répéter cette opération deux fois avec le reste des pommes de terre, de l'oignon, de l'assaisonnement, du fromage et de la farine. Parsemer de beurre et verser le lait sur le tout. Saupoudrer de paprika.
2. Cuire à couvert 25 minutes en tournant la casserole deux fois.
3. Retirer du four et laisser reposer 5 minutes avant de servir.

Patates douces

4 portions

Choisir des patates de même grosseur pour une cuisson uniforme. Brosser 4 patates moyennes. Enlever les taches et imperfections avec un couteau pointu. Piquer toute la surface de chaque patate avec une fourchette. Placer sur des serviettes de papier dans le four en laissant un espace de 1 pouce (2,5 cm) entre chaque patate. Cuire 9 à 11 minutes ou jusqu'à ce qu'elles soient tendres.

Patates douces glacées

6 portions

6 patates douces moyennes
1 tasse de cassonade bien tassée

2 c. à table de beurre ou de margarine

1. Cuire les patates suivant les instructions précédentes. Peler et trancher. Placer dans une casserole de 2 pintes (2 litres).
2. Dans un contenant à mesurer de 2 tasses, mélanger le reste des ingrédients et ⅓ de tasse d'eau. Cuire à découvert 3 à 4 minutes ou jusqu'à ébullition.
3. Verser sur les patates. Cuire à couvert 7 à 8 minutes ou jusqu'à ce que les patates soient bien chaudes, en arrosant les patates avec la sauce occasionnellement pendant la cuisson.

Sauce blanche

1 tasse

2 c. à table de beurre ou de margarine
2 c. à table de farine

½ c. à thé de sel
Un soupçon de poivre
1 tasse de lait

1. Faire fondre le beurre 30 secondes dans un contenant à mesurer de 2 tasses.
2. Incorporer la farine, le sel et le poivre. Cuire 30 secondes.
3. Ajouter graduellement le lait. Cuire à découvert 2½ à 3 minutes, en remuant occasionnellement pendant la dernière partie de la cuisson.
4. Retirer et brasser vigoureusement pour faire disparaître tout grumeau.

Variations: Pour une sauce épaisse, employer 3 c. à table de beurre, 3 c. à table de farine et 1 tasse de lait. Suivre les directions plus haut.

Pour une sauce claire, employer 1 c. à table de beurre, 1 c. à table de farine et 1 tasse de lait. Suivre les directions plus haut.

Les Sandwichs

Rien ne sait rendre les enfants plus heureux que les *hot dogs.* Grâce au four à micro-ondes, vous pouvez les combler en un clin d'oeil. Les saucisses cuisent si vite seules ou fourrées dans les pains que les enfants ne pourront dorénavant se plaindre de mourir de faim en attendant le repas.

      Des sandwichs ouverts ou non, à la viande ou au poisson, servis sur une assiette ou non, il y en a une variété presqu'infinie que vous pouvez préparer comme par magie dans le four à micro-ondes.

Croûtes aux pommes 4 portions

2 à 3 pommes moyennes
¼ de c. à thé de jus de citron
¾ de tasse de cassonade
½ tasse de noix hachées

4 tranches de pain blanc beurrées
4 tranches de fromage canadien fondu

1. Peler, vider et trancher finement les pommes.
2. Mélanger avec le jus de citron, la cassonade et les noix.
3. Répartir sur les tranches de pain. Recouvrir des tranches de fromage.
4. Disposer dans un plat carré de 9 pouces (23 cm).
5. Cuire 2 minutes ou jusqu'à ce que les pommes soient tendres.

Variation: Vous pouvez transformer ces croûtes en un dessert vite fait en les garnissant de 1 c. à table de crème sure commerciale et en les saupoudrant de cassonade et de noix.

Sandwichs grillés à l'oignon

2 tasses d'oignons de Bermude hachés
1 c. à thé de sel
¼ de c. à thé de poivre blanc

½ tasse de vin Sauterne
12 tranches de fromage suisse
12 tranches de pain de seigle, grillées

1. Placer l'oignon haché dans un plat peu profond; saler et poivrer. Ajouter le Sauterne.
2. Couvrir et laisser reposer au moins 1 heure, en remuant toutes les 15 minutes; égoutter.
3. Mettre une tranche de fromage sur chacune de 6 tranches de pain grillées.
4. Répartir l'oignon mariné sur les sandwichs et recouvrir d'une autre tranche de fromage et de la seconde tranche de pain.
5. Déposer chaque sandwich sur une assiette de papier. Cuire un à la fois 1 à 1½ minute ou jusqu'à ce que le fromage soit fondu.

Sandwichs chauds à la salade et au fromage   4 portions

1 tasse de fromage Cheddar coupé en languettes
½ tasse de concombre coupé en dés
1 c. à table d'oignon émincé
¼ de tasse de crème sure commerciale

⅛ de c. à thé de poivre
⅛ de c. à thé de poudre de chili
4 tranches de pain
4 grandes tranches de tomates épaisses
8 tranches de cornichons à l'aneth
Paprika

1. Combiner le fromage, le concombre, l'oignon, la crème sure et les assaisonnements.
2. Rôtir le pain légèrement. Placer chaque tranche de pain sur une assiette de papier.
3. Déposer 1 tranche de tomate et 2 tranches de cornichon sur chaque tranche de pain.
4. Répartir la préparation au fromage sur les 4 tranches et saupoudrer de paprika.
5. Cuire chaque sandwich séparément 1 à 1½ minute ou jusqu'à ce que le fromage fonde et que le sandwich soit bien chaud.

AUX PAGES SUIVANTES: à gauche, Sandwich Reuben, page 115; *à droite, Hot dog* et Sous-marin italien, page 116.

Super sandwichs de Gerri   6 portions

12 à 14 tranches de pain blanc	6 oeufs
Beurre ou margarine	2 tasses de lait
½ livre (227 g) de fromage Cheddar râpé	½ c. à thé de sel
	Paprika
1 c. à thé de moutarde sèche	

1. Enlever les croûtes du pain. Tartiner avec le beurre ou la margarine et détailler les tranches en 4 ou en petits morceaux, à volonté. Etaler un rang de pain dans une casserole de 2 à 3 pintes (2 à 3 litres). Saupoudrer la moitié du fromage sur le pain et la moitié de la moutarde sur le fromage. Recommencer cette opération avec le reste du pain, du fromage, et de la moutarde.
2. Battre les oeufs avec le lait et le sel. Verser sur la préparation de pain et de fromage. Saupoudrer généreusement de paprika.
3. Couvrir avec du papier d'aluminium ou le couvercle de la casserole et réfrigérer une nuit.
4. Avant la cuisson, découper des bandes de 2 pouces (5 cm) dans du papier d'aluminium. Recouvrir les bords de la casserole avec ces bandes. Cuire à peu près 10 minutes, en tournant la casserole toutes les 5 minutes.
5. Retirer du four et enlever le papier d'aluminium. Remettre au four pour à peu près 10 minutes, en tournant la casserole toutes les 5 minutes.
6. Retirer du four, couvrir avec le papier d'aluminium ou le couvercle de la casserole et laisser reposer 3 à 4 minutes avant de servir.

Roulés au fromage   6 portions

4 tranches de bacon	¼ de c. à thé de sauce Worcestershire
1 pain blanc (1 lb ou 455 g) non tranché	
1 tasse de fromage canadien fondu râpé	1 boîte (10½ oz ou 297 g) de crème de champignons concentrée, non diluée
¼ de tasse d'olives farcies hachées	¼ de tasse de lait

111

1. Cuire le bacon selon les instructions à la page 60. Mettre de côté.
2. Enlever les croûtes du pain et découper en 6 tranches horizontalement.
3. Emietter le bacon et réunir avec le fromage, les olives, la sauce Worcestershire et ⅓ de tasse de soupe aux champignons.
4. Tartiner les tranches de pain avec cette préparation. Rouler comme un gâteau roulé à la gelée.
5. Déposer chaque roulé sur une assiette de papier. Cuire un à la fois 2 à 3 minutes ou jusqu'à ce qu'il soit bien chaud.
6. Combiner le reste de la crème de champignons et le lait dans une tasse à mesurer de 2 tasses. Cuire 2½ à 3 minutes.
7. Verser la sauce aux champignons sur les roulés avant de servir.

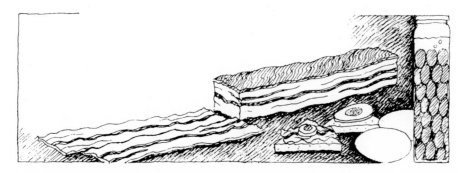

Croque-cowboy

6 portions

6 tranches de bacon
1½ tasse de fromage canadien
fondu râpé
2 c. à table d'oignon finement
haché

¼ de tasse de catsup
1 c. à table de moutarde
préparée
6 petits pains à sandwich coupés
en deux

1. Cuire le bacon selon les instructions à la page 60. Emietter le bacon et réunir avec tous les autres ingrédients à l'exception des petits pains.
2. Tartiner la partie inférieure de chaque pain avec 3 c. à table de la préparation au fromage. Recouvrir de l'autre moitié du pain.
3. Envelopper chaque sandwich dans un morceau de papier ciré. Tortiller les bouts.
4. Cuire chaque sandwich séparément 1 à 1½ minute ou jusqu'à ce qu'il soit bien chaud.

Jambon du lundi

3 à 4 portions

¾ de tasse de sauce hollandaise
4 tranches de pain grillé
Tranches de jambon cuit au four
1 boîte (8 oz ou 227 g) d'asperges,
égouttées, ou 9 à 12 asperges
fraîches cuites

2 oeufs durs, tranchés (facultatif)

1. Préparer votre recette favorite de sauce hollandaise. Couvrir de papier ciré et mettre de côté.
2. Disposer les rôties coupées en quatre dans des casseroles individuelles. Couvrir de jambon. Disposer 3 à 4 tiges d'asperges sur le jambon. Si désiré, garnir avec les tranches d'oeuf dur.
3. Cuire, couvert de papier ciré, une casserole à la fois 1 ou 2 minutes ou jusqu'à ce que ce soit bien chaud.
4. Recouvrir de sauce hollandaise. Couvrir de papier ciré et chauffer 30 secondes. Si la sauce hollandaise est froide, doubler le temps de cuisson.

Petits pains fourrés à la sardine

6 portions

¼ de livre (113 g) de fromage
canadien fondu, en cubes
5 oeufs durs hachés
½ tasse de sardines égouttées et
écrasées
1 c. à table de piment vert émincé
2 c. à table d'oignon émincé

3 c. à table d'olives farcies
hachées
2 c. à table de relish de
cornichons, égoutté
½ tasse de mayonnaise
6 pains à hamburger, fendus et
beurrés

1. Réunir tous les ingrédients à l'exception des pains.
2. Remplir chaque pain de la préparation au fromage.
3. Envelopper chaque sandwich de papier ciré et tortiller les bouts du papier.
4. Cuire un à la fois 1 à 1½ minute ou jusqu'à ce que le pain soit chaud.
Note: Ces sandwichs peuvent être préparés à l'avance, réfrigérés et cuits juste avant d'être servis.

Sandwichs chauds au fromage et au thon   4 portions

4 pains à hamburger
1 boîte (6½ ou 7 oz; 180 ou 205 g)
de thon, égoutté et effeuillé
½ tasse de fromage suisse en
fines languettes

1 tasse de céleri haché
¼ de tasse de mayonnaise
2 c. à table de catsup
1 c. à thé de jus de citron
Sel et poivre au goût

1. Fendre les pains à hamburger.
2. Réunir le thon, le fromage, le céleri, la mayonnaise, le catsup et le jus de citron. Assaisonner de sel et poivre au goût.
3. Répartir la préparation de thon sur les 4 pains.
4. Envelopper chaque sandwich de papier ciré et tortiller les bouts du papier.
5. Cuire un à la fois 1 à 1½ minute ou jusqu'à ce que le pain soit chaud.

Sandwichs chauds au boeuf barbecue   6 portions

½ tasse de beurre ou de margarine
1 livre (455 g) de steak de haut
de ronde, découpé en lanières
1 c. à thé de sel
⅛ de c. à thé de poivre
⅛ de c. à thé de sel d'ail
1 boîte (10½ oz ou 297 g) de
bouillon de boeuf
1 boîte (8 oz ou 227 g) de
concentré de tomate

2 c. à table de fécule de maïs
1 c. à thé de sucre
1 boîte (4 oz ou 113 g) de
champignons en tranches,
égouttées
¼ de tasse de vin rouge sec
6 petits pains

1. Mettre le beurre dans une casserole de 2 ou 3 pintes (2 ou 3 litres). Cuire à découvert 30 secondes ou jusqu'à ce que le beurre fonde.
2. Mettre les lanières de boeuf dans la casserole et remuer pour bien les enrober de beurre. Ajouter le sel, le poivre et le sel d'ail.
3. Cuire à découvert 5 à 6 minutes, en remuant de temps en temps.
4. Ajouter le bouillon de boeuf et le concentré de tomate. Mélanger la fécule de maïs et le sucre et ajouter à la préparation.
5. Cuire à couvert 4 minutes, en remuant au moins une fois pendant la cuisson.
6. Ajouter les champignons et le vin. Cuire à couvert 1 à 2 minutes, ou jusqu'à ce que les champignons soient chauds.
7. Laisser reposer, couvert, 4 à 5 minutes avant de servir.
8. Servir le boeuf avec la sauce dans les petits pains chauds.

Sandwich Reuben

8 tranches de pain de seigle noir
ou pumpernickel
Beurre ou margarine
½ livre (227 g) de boeuf salé
(corned beef) tranché mince

1 boîte (8 oz ou 227 g) de
choucroute, bien égouttée
Vinaigrette Thousand Islands
4 tranches de fromage suisse

1. Griller le pain. Beurrer légèrement.
2. Disposer les tranches de boeuf sur 4 tranches de rôties. Répartir la choucroute entre ces tranches. Mouiller de vinaigrette. Recouvrir chacune de 1 tranche de fromage suisse et finalement recouvrir les sandwichs avec les autres tranches de pain grillé, côté beurré en dessous.
3. Déposer chaque sandwich sur une assiette de papier.
4. Faire cuire un à la fois à peu près 1 minute ou jusqu'à ce que le fromage fonde.

CI-CONTRE: Hamburger au fromage, page 120.

Sous-marins italiens
4 portions

4 saucisses italiennes
½ tasse de sauce barbecue
  commerciale

1 piment vert, épépiné et coupé
  en fines lanières
4 pains à sous-marin

1. Foncer de papier absorbant un plat carré de 8 pouces (20 cm). Mettre les saucisses sur le papier. Recouvrir de papier absorbant.
2. Cuire 8 minutes, en tournant à la moitié de la cuisson. Enlever la graisse. Mettre de côté.
3. Cuire le piment et la sauce barbecue dans une tasse à mesurer de 2 tasses 1 à 2 minutes.
4. Fendre les pains presqu'en deux. Mettre 1 saucisse cuite dans chaque pain. Recouvrir du quart de la sauce aux piments. Envelopper chaque sandwich dans du papier ciré et tortiller les bouts du papier.
5. Cuire, un à la fois, 1 à 1½ minute, ou jusqu'à ce que le pain soit très chaud.

Hot Dog
1 portion

1 pain frankfurter
Moutarde préparée

Relish aux cornichons
1 saucisse fumée

1. Tartiner le pain avec la moutarde et le relish. Mettre la saucisse dans le pain. Envelopper de papier ciré et tortiller les bouts du papier.
2. Cuire 1 minute. Pour en cuire 2 ou 3 à la fois, il faut ajuster le temps de cuisson comme suit: 2 *hot dogs,* 2 minutes; 3 *hot dogs,* 3 minutes.

116

Sandwichs aux fèves au lard
4 portions

6 tranches de bacon coupées en
  morceaux
1 oignon moyen haché
4 saucisses fumées coupées en
  petits morceaux

1 c. à thé de moutarde préparée
1 c. à thé de catsup
1 boîte (1 lb ou 455 g) de fèves au
  lard à la sauce aux tomates
4 pains frankfurter

1. Mettre les morceaux de bacon dans une casserole de 1½ pinte (1½ litre).
2. Cuire à couvert 2 minutes. Remuer.
3. Ajouter l'oignon haché.
4. Cuire à couvert 1 minute. Bien remuer.
5. Ajouter les saucisses. Cuire à couvert à peu près 3 minutes. Ajouter la moutarde, le catsup et les fèves au lard et mélanger bien.
6. Cuire à couvert à peu près 4 minutes ou jusqu'à ce que ce soit chaud, en remuant une fois pendant la cuisson. Servir sur les pains réchauffés.

Sandwichs aux asperges et aux oeufs

6 portions

6 tranches de pain blanc	**Sel et poivre au goût**
2 c. à table de beurre mou ou de margarine	**1 boîte (8 oz ou 227 g) de sauce aux tomates**
3 oeufs durs tranchés	**¼ de c. à thé de sucre**
24 pointes d'asperges cuites (voir page 94)	**½ c. à thé d'origan**
	2 c. à table d'amandes effilées

1. Griller le pain et beurrer légèrement.
2. Disposer les tranches d'oeuf sur le pain grillé et garnir avec 4 pointes d'asperges par tranche de pain. Saupoudrer de sel et de poivre.
3. Combiner la sauce aux tomates, le sucre et l'origan.
4. Déposer les rôties dans un plat carré de 9 pouces (23 cm). Verser la sauce aux tomates dessus et parsemer d'amandes.
5. Cuire 2 à 3 minutes ou jusqu'à ce que les sandwichs soient bien chauds.

Délices au poulet

8 portions

4 c. à table de beurre ou de margarine	**3 c. à table de sherry**
¼ de tasse de farine tout usage	**2 tasses de poulet cuit coupé en dés**
1 c. à thé de sel	**Paprika**
⅛ de c. à thé de poivre	**4 *crumpets***
2 tasses de lait	**8 tranches de jambon cuit**

1. Mettre le beurre dans une casserole de 1 pinte (1 litre). Chauffer 30 secondes ou jusqu'à ce que le beurre fonde.
2. Incorporer la farine, le sel et le poivre. Cuire 30 secondes.
3. Incorporer le lait. Cuire 3 à 4 minutes en remuant à la minute et demie ou jusqu'à ce que la sauce épaississe.
4. Retirer du four et ajouter le sherry, le poulet et un soupçon de paprika.
5. Fendre, griller et beurrer les *crumpets.* Placer chacun d'eux sur une assiette de papier.
6. Déposer 1 tranche de jambon sur chaque moitié de pain. Répartir la préparation au poulet entre les sandwichs et saupoudrer de paprika.
7. Cuire 4 à la fois à peu près 2 minutes ou jusqu'à ce que les sandwichs soient chauds.

Sandwichs chauds à la dinde et au fromage 6 portions

6 tranches de dinde cuite	½ tasse de fromage parmesan
6 tranches de pain blanc, grillées et beurrées	¼ de c. à thé de sel d'ail
1 tasse de lait	½ tasse d'olives farcies tranchées
1 paquet (8 oz ou 227 g) de fromage à la crème, à la température de la maison	Paprika

1. Déposer la dinde sur les tranches de pain.
2. Ajouter le lait au fromage à la crème dans un plat à four de 1 pinte (1 litre) en mélangeant bien.
3. Cuire 2 minutes.
4. Remuer. Remettre au four 1 minute.
5. Retirer du four et ajouter le fromage parmesan, le sel d'ail et les olives.
6. Napper chaque sandwich avec cette sauce; saupoudrer de paprika.

Sandwich *Sloppy Joe* 6 portions

1 livre (455 g) de boeuf haché	1 c. à thé de sel
½ tasse d'oignon haché	Un soupçon de sucre
½ tasse de piment vert haché	Poivre frais moulu, au goût
½ c. à thé de paprika	Pains à hamburger grillés
1 boîte (8 oz ou 227 g) de sauce aux tomates	

1. Emietter le boeuf dans une casserole de 2 pintes (2 litres). Ajouter l'oignon, le piment et le paprika.
2. Cuire à découvert 5 à 6 minutes, ou jusqu'à ce que la viande perde sa couleur rouge. Remuer une fois pendant la cuisson.
3. Désagréger la viande à la fourchette. Ajouter tous les autres ingrédients à l'exception des pains. Bien mélanger.
4. Cuire à couvert à peu près 10 minutes, en remuant de temps à autre.
5. Servir sur la partie inférieure du pain grillé; recouvrir de l'autre moitié.

Note: Cette préparation peut être faite à l'avance et réfrigérée. Pour servir, vous n'avez qu'à enlever la couche de gras qui s'est formée sur le dessus et mettre la quantité de sauce désirée sur les pains à hamburger ou autres petits pains en étendant le mélange jusqu'au bord du pain. Mettre chaque portion sur une petite assiette. Chauffer 1 à 1½ minute ou jusqu'à ce que la préparation soit très chaude.

Sous-marins à la provençale

6 portions

1 oignon moyen haché
1 petit piment vert, épépiné et haché
1 gousse d'ail, pelée et fendue en deux
1 livre (455 g) de boeuf haché
1 boîte (1 lb ou 455 g) de tomates entières

½ c. à thé de poudre de chili
¼ de c. à thé de sel
¼ de c. à thé de sucre
¼ de c. à thé de sauce Tabasco
⅛ de c. à thé de cumin moulu
6 petits pains à sous-marin

1. Réunir l'oignon, le piment vert, l'ail et le boeuf émietté dans une casserole de 2 pintes (2 litres).
2. Cuire à découvert 5 à 6 minutes ou jusqu'à ce que la viande perde sa couleur rouge. Remuer une fois pour désagréger la viande.
3. Avec une fourchette, défaire les tomates en petits morceaux. Ajouter à la viande ainsi que la poudre de chili, le sel, le sucre, la sauce Tabasco et le cumin.
4. Cuire à couvert à peu près 10 minutes, en remuant de temps à autre.
5. Enlever l'ail. Servir sur les pains à sous-marin.

Sandwich du bûcheron

6 portions

1 livre (455 g) de boeuf haché
½ tasse d'oignon finement haché
½ tasse de piment vert finement haché
½ tasse d'olives noires hachées
1 boîte (6 oz ou 170 g) de concentré de tomate
1 c. à thé de sel

Poivre frais moulu, au goût
½ c. à thé d'assaisonnement pour volaille
½ c. à thé de sauce Tabasco
½ c. à thé de poudre de chili
1 c. à thé de sauce Worcestershire
Pains à hamburger grillés

1. Emietter le boeuf dans une casserole de 2 pintes (2 litres). Ajouter l'oignon et le piment vert.
2. Cuire à découvert 5 à 6 minutes, ou jusqu'à ce que la viande ait perdu sa couleur rouge. Remuer une fois pendant la cuisson.
3. Désagréger la viande à la fourchette. Ajouter les olives, le concentré de tomate, le sel, le poivre, l'assaisonnement à volaille, la sauce Tabasco, la poudre de chili et la sauce Worcestershire. Bien mélanger. Ajouter 1 à 2 c. à table d'eau si la préparation sèche trop.
4. Cuire à couvert à peu près 10 minutes, en remuant de temps à autre.
5. Servir immédiatement sur les pains grillés.

Hamburgers au fromage

4 portions

1 livre (455 g) de boeuf haché
Sel et poivre
4 pains à hamburger grillés

4 tranches de fromage canadien fondu

1. Assaisonner la viande au goût. Façonner en 4 petits pâtés. Placer dans un plat à four carré de 8 pouces (20 cm).
2. Cuire 2 minutes couvert de papier ciré.
3. Retourner les pâtés. Cuire à couvert 2 minutes ou jusqu'au degré de cuisson désiré.
4. Placer 1 pâté sur chaque pain à hamburger. Recouvrir de 1 tranche de fromage. Placer chaque pain sur une petite assiette de papier.
5. Cuire 1 ou 2 à la fois 1 minute ou jusqu'à ce que le fromage fonde. Servir accompagné de vos condiments préférés.

Hamburgers ouverts

1 livre (455 g) de boeuf haché
1 c. à thé de sel
1 c. à thé d'origan
½ c. à thé de moutarde sèche
Poivre frais moulu, au goût
1 c. à table d'oignon émincé instantané
½ tasse de jus de tomate

1 tasse de fromage Cheddar en languettes
3 pains à hamburger fendus et grillés
6 tranches de tomate
2 c. à table de beurre ou de margarine

1. Emietter le boeuf dans une casserole de 1½ pinte (1½ litre) ou dans un moule à gâteau de verre de 8 pouces (20 cm).
2. Cuire à découvert 5 à 6 minutes ou jusqu'à ce que la viande ait perdu sa couleur rouge. Remuer une fois pendant la cuisson.
3. Désagréger la viande à la fourchette. Ajouter le sel, l'origan, la moutarde sèche, le poivre, l'oignon, le jus de tomate et le fromage. Bien mélanger.
4. Cuire à couvert 1 à 2 minutes ou jusqu'à ce que le fromage fonde et que le mélange soit très chaud.
5. Poser les moitiés de pain hamburger sur la grille du four conventionnel. A l'aide d'une cuillère, étendre le mélange de viande sur chaque pain. Recouvrir d'une tranche de tomate. Parsemer de beurre. Griller au four conventionnel jusqu'à ce que les tomates soient dorées.

121

Spécialité du pêcheur

1 boîte (7½ oz ou 212 g) de crabe égoutté
1 boîte (5 oz ou 142 g) de crevettes égouttées
2 paquets (3 oz ou 85 g chacun) de fromage à la crème, à la température de la maison
½ tasse d'amandes hachées
2 c. à table de vin blanc sec
2 c. à thé de jus de citron

1 c. à thé d'oignon émincé
1 c. à thé de raifort préparé
1 c. à thé de moutarde préparée
½ c. à thé de sel
¼ de c. à thé de poivre blanc
⅛ de c. à thé de cayenne
6 petits pains français
⅓ de tasse de gruyère en languettes

1. Trier la chair de crabe et enlever tous les petits morceaux de cartilage. Combiner avec les crevettes et le fromage à la crème en mélangeant bien. Ajouter les amandes, le vin blanc, le jus de citron, l'oignon, le raifort, la moutarde, le sel, le poivre et le cayenne.
2. Couper une tranche au tiers de chaque pain et vider le dedans en faisant bien attention de ne pas briser la croûte. Mettre la préparation aux fruits de mer dans les caisses ainsi préparées. Saupoudrer de gruyère. Replacer la croûte sur chaque pain.
3. Mettre 2 pains à la fois au four sur du papier absorbant. Cuire 1 à 1½ minute ou jusqu'à ce que la préparation soit très chaude et le fromage fondu.

Moufflets à la dinde

6 portions

6 **moufflets** *(English muffins)*	1 **c. à table de jus de citron**
Beurre	**Un soupçon de sauce Tabasco**
6 **tranches de bacon**	12 **tranches (1 oz ou 29 g chacune)**
1 **gros avocat**	**de poitrine de dinde**
¼ **de tasse de mayonnaise**	12 **tranches de tomates**
¼ **de tasse de crème sure**	1 **bocal (8 oz ou 227 g) de fromage**
commerciale	**fondu pasteurisé à tartiner**

1. Fendre, griller et beurrer les moufflets.
2. Couper les tranches de bacon en quatre. Déposer sur une feuille de papier absorbant dans un plat à four rectangulaire. Couvrir d'une autre feuille de papier et cuire 2 minutes.
3. Peler, dénoyauter et écraser l'avocat. Mélanger avec la mayonnaise, la crème sure, le jus de citron et la sauce Tabasco.
4. Etendre une généreuse quantité de cette préparation sur chaque moitié de moufflet. Poser une tranche de dinde et une tranche de tomate sur chaque moitié. Tartiner les tomates avec 1 c. à table de fromage chacune. Recouvrir chaque sandwich de deux morceaux de bacon cuit.
6. Placer les 6 morceaux de moufflets dans un plat à four rectangulaire. Cuire à peu près 1½ minute ou jusqu'à ce que le fromage fonde et bouillonne.

Sandwichs chauds aux asperges et au jambon

4 portions

4 **tranches de pain grillé**	8 **tranches de fromage suisse**
4 **tranches de jambon tranché**	1 **boîte (15 oz ou 425 g) de**
mince	**pointes d'asperges**

1. Placer le pain grillé dans un plat à four.
2. Couvrir chaque tranche de pain avec 1 tranche de jambon, 1 tranche de fromage et 5 pointes d'asperges. Recouvrir de la deuxième tranche de fromage.
3. Cuire 4 minutes.
4. Saupoudrer de paprika si désiré.

Les Boissons

Quel plaisir pour la maîtresse de maison bien occupée de pouvoir servir en quelques secondes une tasse de café ou de chocolat dans sa plus jolie porcelaine aussi bien que dans une tasse de papier. Si le café refroidit, le four à micro-ondes le ramènera à la bonne température en un rien de temps.

Il faut cependant se rappeler que le lait qui bout renverse très vite. Donc, prenez-y garde et ne remplissez pas vos contenants jusqu'au bord.

CI-CONTRE: Thé instantané, page 128; Café instantané, page 127; Cacao instantané, Cidre épicé, Punch aux canneberges chaud, page 126.

Vin chaud épicé   8 à 10 portions

1 tasse de sucre
2 morceaux (1 po ou 2,5 cm chacun)
de bâtonnet de cannelle
1 citron tranché

24 clous de girofle
4 tasses de jus d'orange
1 pinte (1 litre) de vin de
Bourgogne

1. Réunir le sucre, la cannelle, le citron, les clous de girofle et ½ tasse d'eau dans une casserole de 3 pintes (3 litres).
2. Chauffer 2 minutes.
3. Ajouter le jus d'orange et le bourgogne.
4. Chauffer 5 minutes.
5. Garnir avec des tranches de citron ou d'ananas si désiré.

Grog chaud   1 portion

1 c. à thé de sucre
1 morceau (1 po ou 2,5 cm) de
bâton de cannelle

1 tranche de citron, piquée de 2
clous de girofle
2 onces (60 ml) de bourbon

1. Réunir le sucre, la cannelle, la tranche de citron et ½ tasse d'eau dans une tasse à mesurer.
2. Chauffer 5 minutes.
3. En attendant, mettre le bourbon dans une chope ou un gobelet.
4. Retirer le liquide chaud du four et verser sur le bourbon. Remuer et servir.

124

Coquetel au jus d'ananas   10 portions

1 boîte (46 oz ou 1,3 kg) de jus
d'ananas
1 morceau 1 po ou 2,5 cm) de
bâton de cannelle
⅛ de c. à thé de muscade moulue

⅛ de c. à thé de quatre-épices
moulue
Un soupçon de clous de girofle
moulus

1. Réunir tous les ingrédients dans une casserole de 2 pintes (2 litres).
2. Chauffer 5 minutes.

Punch aux pommes   5 à 6 portions

2 oeufs séparés
¼ de tasse de sucre
½ c. à thé de sel
½ c. à thé de cannelle moulue
Un soupçon de muscade moulue

⅔ de tasse de jus de pommes
3 tasses de lait
½ tasse de crème épaisse,
fouettée

1. Mettre les jaunes d'oeufs dans une casserole de 2 pintes (2 litres). Battre légèrement à la fourchette.
2. Ajouter en remuant le sucre, le sel, la cannelle, la muscade et le jus de pommes. Incorporer le lait.
3. Cuire 5 minutes.
4. En attendant, battre les blancs d'oeufs dans une terrine de 2 pintes (2 litres).
5. Retirer la boisson au lait du four et verser tout d'un coup sur les blancs d'oeufs en agitant rapidement.
6. Garnir chaque portion de crème fouettée.

Punch aux canneberges chaud

6 portions

1½ tasse de coquetel aux
    canneberges
4 clous de girofle
1 morceau (2 po ou 5 cm) de
    bâton de cannelle
3 c. à table de sucre

1 boîte (6 oz ou 170 g) de
    limonade congelée
    concentrée, décongelée
3 tranches d'orange coupées en
    deux
6 cerises au marasquin

1. Réunir le jus de canneberges, les clous de girofle, le bâtonnet de cannelle et 1½ tasse d'eau dans une tasse à mesurer de 1 pinte (1 litre).
2. Chauffer 5 minutes.
3. Couvrir et laisser reposer 1 minute.
4. Jeter les épices.
5. Ajouter le sucre en remuant jusqu'à ce que ce soit dissous.
6. Incorporer la limonade.
7. Chauffer 3 minutes.
8. Servir chaud, garni de demi-tranches d'orange et de cerises piquées sur un cure-dents.

Cidre épicé

4 portions

3 tasses de cidre de pommes
3 c. à table de cassonade
⅛ de c. à thé de sel
Un soupçon de muscade moulue
½ c. à thé de graines de quatre-
    épices

½ c. à thé de clous de girofle
1 bâton de cannelle
2 tranches d'orange, coupées en
    deux

1. Réunir le cidre, la cassonade, le sel et la muscade dans une tasse à mesurer de 1 pinte (1 litre).
2. Attacher les graines de quatre-épices, les clous de girofle et le bâton de cannelle dans un morceau de gaze et jeter dans le cidre.
3. Chauffer 5 minutes.
4. Laisser reposer 5 minutes.
5. Retirer le sac d'épices et servir le cidre chaud garni de demi-tranches d'orange.

Chocolat mexicain

4 portions

½ tasse de morceaux de chocolat
    semi-doux
1 c. à table de café instantané

½ c. à thé d'essence de vanille
¼ de c. à thé de cannelle moulue
2 tasses de lait

1. Mettre le chocolat, le café et ½ tasse d'eau dans une tasse à mesurer de 4 tasses.
2. Chauffer 3 minutes.
3. Retirer du four et ajouter tous les autres ingrédients.
4. Chauffer 4 minutes.

Cacao instantané

1 portion

¾ de tasse de lait
2 c. à thé de préparation à cacao
    instantané

Guimauves

1. Réunir le lait et le cacao dans une tasse à mesurer de 2 tasses.
2. Chauffer 2 minutes.
3. Garnir de guimauves et servir.

Thé russe au lait

4 portions

- 1 morceau (1 po ou 2,5 cm) de bâton de cannelle
- 2 clous de girofle
- ½ c. à thé de macis moulu
- ½ c. à thé de thé instantané
- 4 tasses de lait
- Le zeste de ½ citron coupé en lanières
- ⅛ de c. à thé de sel
- 2 c. à table de sucre

1. Attacher dans un morceau de gaze la cannelle, le clou de girofle, le macis et le thé.
2. Mettre le lait dans une casserole de 2 pintes (2 litres).
3. Ajouter au lait le sac d'épices, le zeste de citron et le sel.
4. Chauffer 5 minutes.
5. Retirer le sac d'épices et ajouter le sucre.
6. Chauffer 30 secondes.

Café à l'orange

6 portions

- 1 c. à table de sucre
- 6 clous de girofle
- 2 morceaux (1½ po ou 3,8 cm chacun) de bâton de cannelle
- Le zeste de 1 petite orange, en lanières
- 1 c. à table de café instantané

1. Réunir tous les ingrédients avec 1½ tasse d'eau dans une tasse à mesurer de 2 tasses.
2. Chauffer 5 minutes.
3. Passer dans des demi-tasses.

Café au lait

4 portions

- 4 c. à thé de café instantané
- 2 tasses de lait
- Sucre (facultatif)

1. Mettre le café et 1 tasse d'eau dans une tasse à mesurer de 4 tasses.
2. Ajouter le lait.
3. Chauffer 5 minutes.
4. Sucrer au goût.

Café viennois

8 portions

- 6 c. à thé de café instantané
- ¼ de tasse de crème épaisse, fouettée

1. Mettre le café et 3 tasses d'eau dans une tasse à mesurer de 4 tasses.
2. Chauffer 5 minutes.
3. Servir dans des demi-tasses.
4. Garnir avec la crème fouettée.

Café instantané

4 portions

- 4 à 5 c. à thé de café instantané

1. Réunir le café et 3 tasses d'eau dans une tasse à mesurer de 1 pinte (1 litre).
2. Chauffer 5 minutes.

Note: Pour une plus riche saveur, laisser reposer 2 minutes.

Punch à la crème de café

8 portions

6 c. à table de café instantané
1½ chopine (0,5 litre) de crème glacée à la vanille

Muscade moulue

1. Réunir le café et 4 tasses d'eau dans une casserole de 1½ pinte (1,5 litre).
2. Chauffer 4 minutes.
3. En attendant, mettre la crème glacée dans une terrine de 3 pintes (3 litres).
4. Verser le café sur la crème glacée.
5. Remuer jusqu'à ce que la crème glacée soit partiellement fondue.
6. Servir dans des tasses et saupoudrer de muscade.

Café calypso

6 portions

4 tasses de lait
⅓ de tasse de café instantané
¼ de tasse de cassonade

½ tasse de crème épaisse, fouettée
Muscade moulue

1. Verser ⅓ de tasse d'eau dans une casserole de 2 pintes (2 litres).
2. Chauffer 1 minute.
3. Ajouter le lait, le café et la cassonade.
4. Chauffer 5 minutes.
5. Servir chaud, garni de crème fouettée et de muscade.

Thé

4 portions

4 sacs de thé

1. Mettre 3 tasses d'eau dans une tasse à mesurer de 1 pinte (1 litre).
2. Chauffer 5 minutes.
3. Ajouter les sacs de thé.
4. Retirer les sacs de thé quand le thé est fort à votre goût.

Thé instantané

4 portions

5 à 6 c. à thé de thé instantané

1. Mélanger le thé avec 3 tasses d'eau dans une tasse à mesurer de 1 pinte (1 litre).
2. Chauffer 5 minutes.

Thé glacé

4 portions

6 sacs de thé, ou 2½ à 3 c. à table de thé instantané
3 à 4 c. à table de sucre

Cubes de glace
Branches de menthe ou quartiers de citron

1. Mettre 3 tasses d'eau dans une tasse à mesurer de 4 tasses.
2. Chauffer 5 minutes.
3. Ajouter le thé.
4. Lorsque le thé est fort à votre goût, retirer les sacs de thé et ajouter le sucre, en remuant jusqu'à ce que ce soit dissous.
5. Servir sur glace dans de grands verres.
6. Garnir avec la menthe ou le citron.

Les Desserts

Votre four à micro-ondes cuira poudings, fruits, gâteaux, et crèmes anglaises d'une manière superbe. La cuisson des gâteaux est beaucoup plus rapide mais le résultat est légèrement différent, donnant un gâteau tout aussi délicieux que s'il était cuit de façon conventionnelle. Ainsi pour assurer une levée égale et un dessus uniforme, vous devez tourner le moule plusieurs fois pendant la cuisson.

Vous vérifiez la cuisson avec un cure-dents, comme d'habitude; en dépit de son apparence humide le gâteau est prêt si le cure-dents ressort net du milieu de la pâte. En refroidissant, le dessus du gâteau sèchera et vous aimerez beacoup cette texture fraîche et ce goût moite.

Pour ce qui est des tartes aux fruits à double croûte, vous les faites cuire au four à micro-ondes jusqu'à ce que les fruits soient cuits, ce qui vous sauve beaucoup de temps, et vous en finissez la cuisson dans un four conventionnel pour faire dorer la croûte.

Gâteau à la compote de pommes

12 portions

1 tasse de compote de pommes	½ c. à thé de sel
⅞ de tasse de cassonade bien tassée	1 c. à thé de cannelle
½ tasse de margarine ou de beurre fondu	½ c. à thé de clous de girofle moulus
1¾ tasse de farine tout usage tamisée	1 c. à thé de gingembre moulu
1 c. à thé de bicarbonate de soude	½ tasse de raisins secs sans pépins
	½ tasse de noix hachées

1. Mélanger la compote de pommes, la cassonade et le beurre. Mettre de côté.
2. Tamiser la farine, le bicarbonate de soude, le sel, et les épices dans un grand bol à mélanger. Y ajouter le mélange de compote de pommes et bien mêler. Incorporer les raisins secs et les noix. Verser la préparation dans un plat à cuisson de 12 x 8 x 2 pouces (30 x 20 x 5 cm) légèrement graissé. Recouvrir les deux bouts du moule d'une bande d'aluminium de 3 à 4 pouces (7 cm à 10 cm).
3. Cuire 4 minutes, en tournant le moule à toutes les 2 minutes.
4. Enlever les bandes d'aluminium des extrémités du plat.
5. Cuire 4 minutes, ou jusqu'à point, en tournant le moule à toutes les 2 minutes. Le gâteau est cuit quand un cure-dents inséré au centre ressort net.
6. Laisser refroidir avant de servir.

Gâteau du diable

2 étages

2 tasses de farine tout usage tamisée	2 tasses de sucre
1¼ c. à thé de bicarbonate de soude	½ tasse de cacao
¼ de c. à thé de sel	1 c. à thé d'essence de vanille
½ tasse de shortening	½ tasse de lait de beurre
	2 oeufs légèrement battus

1. Graisser les fonds de deux moules à gâteau. Tapisser de deux épaisseurs de papier ciré.
2. Tamiser ensemble la farine, le bicarbonate de soude et le sel. Mettre de côté.
3. Défaire en crème le shortening avec le sucre, le cacao et l'essence de vanille jusqu'à ce que ce soit léger.
4. Mettre 1 tasse d'eau dans une tasse à mesurer de 2 tasses. Cuire environ 2½ minutes ou jusqu'à ce que l'eau bouille. Laisser reposer.
5. Incorporer l'eau bouillante, le lait de beurre, et les oeufs dans la préparation en crème et bien battre. Ajouter d'un seul coup les ingrédients secs tamisés et bien battre.
6. Répartir le mélange dans les moules à gâteau.
7. Cuire à découvert, un étage à la fois, environ 6 minutes, en tournant toutes les 2 minutes pour obtenir une cuisson uniforme.
8. Retirer du four et laisser refroidir.
9. Démouler et laisser refroidir complètement. Glacer comme vous le désirez.

Pain d'épices

6 à 8 portions

1 paquet de 14 onces (397 g) de mélange à pain d'épices

1. Préparer le mélange de pain d'épices selon le mode d'emploi indiqué sur le paquet, en diminuant de 2 c. à table la quantité de liquide. Verser la préparation dans un moule à gâteau rond de 8 pouces (20 cm) de diamètre.

AUX PAGES SUIVANTES: *à gauche,* Tarte vite faite à la crème de Boston, Gâteau renversé à l'ananas, page 135; Pain d'épices, page 130; *à droite,* Gâteau du diable, page 130.

2. Cuire à découvert 5 à 7 minutes, en tournant le moule à toutes les 2 minutes ou jusqu'à ce qu'un cure-dents inséré au centre ressorte net.
3. Retirer du four et laisser reposer quelques minutes avant de couper et de servir.

Gâteau à la citrouille, aux raisins secs et aux noix   12 portions

½ tasse de shortening
1 tasse de sucre
2 oeufs légèrement battus
1 tasse de citrouille cuite, bien tassée
2 tasses de farine tout usage tamisée
4 c. à thé de poudre à pâte
1 c. à thé de bicarbonate de soude

1 c. à thé de sel
2½ c. à thé de cannelle
½ c. à thé de muscade
¼ de c. à thé de gingembre
1 tasse de raisins secs sans pépins
1 tasse de noix hachées

1. Défaire le shortening et le sucre en crème légère. Y incorporer les oeufs et la citrouille; bien battre.
2. Tamiser ensemble la farine, la poudre à pâte, le bicarbonate de soude, le sel et les épices. Incorporer à la préparation de citrouille. Ajouter les raisins secs et les noix. Verser la préparation dans un plat à cuisson de 12 x 8 x 2 pouces (30 x 20 x 5 cm), légèrement graissé. Recouvrir les deux extrémités du plat d'une bande de papier d'aluminium de 3 à 4 pouces (7 à 10 cm) de largeur.
3. Cuire 4 minutes, en tournant le plat à toutes les 2 minutes.
4. Enlever les bandes de papier d'aluminium.
5. Cuire de nouveau 4 minutes, en tournant après 2 minutes, ou jusqu'à ce que le gâteau soit cuit alors qu'un cure-dents inséré au centre ressort net.
6. Laisser refroidir avant de servir.

131

Gâteau à la crème sure pour le café   1 gâteau de 8 pouces (20cm)

¼ de tasse de beurre ou de margarine
½ tasse de sucre
2 oeufs
½ c. à thé d'essence de vanille
1½ tasse de farine tout usage tamisée
½ c. à thé de bicarbonate de soude
½ c. à thé de poudre à pâte

½ tasse de crème sure commerciale
⅓ de tasse de cassonade bien tassée
2 c. à table de farine
½ tasse de noix hachées
⅛ de c. à thé de cannelle
⅛ de c. à thé de sel
2 c. à table de beurre ou de margarine

1. Défaire en crème ¼ de tasse de beurre et le sucre jusqu'à ce que ce soit léger et mousseux. Ajouter les oeufs et la vanille et bien battre. Tamiser ensemble 1½ tasse de farine, le bicarbonate de soude et la poudre à pâte. Ajouter au mélange crémeux en alternant avec la crème sure et en battant bien après chaque addition.
2. Mélanger tous les autres ingrédients jusqu'à ce qu'ils soient en miettes.
3. Etendre la moitié de la pâte dans un moule rond de 8 pouces (20 cm) de diamètre. Saupoudrer avec la moitié du mélange en miettes. Etendre ensuite le reste de la pâte et saupoudrer le reste du mélange émietté.
4. Cuire environ 5½ minutes, en tournant le gâteau à chaque 1½ minute pour qu'il cuise d'une manière égale.

Gâteau aux épices

12 portions

2 oeufs
1 tasse de sucre
2 c. à table de mélasse
2 tasses de farine tout usage
  tamisée
1 c. à thé de cannelle
1 c. à thé de clous de girofle
  moulus

½ c. à thé de quatre-épices
½ c. à thé de sel
2 c. à thé de poudre à pâte
1 c. à thé de bicarbonate de soude
1 tasse de lait de beurre
⅔ de tasse d'huile à cuisson

1. Battre les oeufs jusqu'à ce qu'ils soient épais et de couleur jaune citron. Bien incorporer le sucre et la mélasse.
2. Tamiser ensemble la farine, les épices, le sel, la poudre à pâte et le bicarbonate de soude. Ajouter au mélange d'oeufs en alternant avec le lait de beurre, en mêlant bien après chaque addition. Ajouter l'huile en remuant.
3. Verser la préparation dans un plat à cuisson de 12 x 8 x 2 pouces (30 x 20 x 5 cm), légèrement graissé. Couvrir les deux bouts du plat avec une bande de papier d'aluminium d'environ 4 pouces (10 cm) de largeur.
4. Cuire 4 minutes, en tournant le plat après 2 minutes.
5. Retirer les bandes de papier d'aluminium du plat. Cuire de nouveau 5 minutes ou jusqu'à ce qu'il soit cuit, en tournant le plat à toutes les 2 minutes. Le gâteau est cuit quand un cure-dents inséré au centre ressort net.
6. Laisser refroidir avant de servir.

Mélange à gâteau préparé

3 étages de 8 pouces (20cm)

1 paquet de 1 livre 2½ onces (527 g) de mélange à gâteau

1. Graisser le fond d'un moule à gâteau de 8 pouces (20 cm) de diamètre. Placer 2 cercles de 8 pouces (20 cm) de papier ciré dans le fond du plat.
2. Préparer le mélange à gâteau selon le mode d'emploi indiqué sur le paquet, en réduisant la quantité de liquide de 2 c. à table.
3. Verser le tiers de la préparation dans le moule apprêté.
4. Cuire à découvert 3 minutes, en tournant le moule à toutes les minutes.
5. Laisser reposer quelques minutes pour faire refroidir. Retourner le moule et retirer le papier ciré du fond du gâteau.
6. Répéter cette manière de procéder pour les deux autres couches.

Gâteau à la livre

2 pains

1 paquet de 16 onces (455 g) de mélange pour gâteau à la livre

1. Tapisser le fond de deux moules à pain de 8 x 4 pouces (20 x 10 cm) avec deux épaisseurs de papier ciré.
2. Préparer le mélange à gâteau selon le mode d'emploi, en réduisant le liquide de 2 c. à table. Diviser la préparation entre les deux moules.
3. Cuire à découvert, un gâteau à la fois, 3 à 4 minutes, en tournant le moule à pain une fois pendant la cuisson.
4. Laisser reposer dans le moule 3 minutes. Retourner, retirer le papier et laisser refroidir avant de servir.

AUX PAGES SUIVANTES: à gauche, Tarte aux pommes, page 139; à droite, Tarte au fromage et aux cerises, page 139.

Gâteau renversé à l'ananas   6 portions

2 c. à table de beurre ou de margarine

½ tasse de cassonade foncée bien tassée

1 boîte de 8¼ onces (234 g) d'ananas tranché, bien égoutté et le jus réservé

6 à 10 cerises au marasquin, bien égouttées

1 paquet de 9 onces (255 g) de mélange à gâteau jaune
Crème fouettée

1. Mettre le beurre et la cassonade dans un moule à gâteau carré de 8 pouces (20 cm) de côté.
2. Cuire à découvert, 1½ à 2 minutes, ou jusqu'à ce que le beurre et la cassonade soient mêlés.
3. Etaler ce mélange sur le fond du moule. Y disposer les tranches d'ananas et placer les cerises dans les trous.
4. Préparer le mélange à gâteau selon le mode d'emploi sur le paquet, en employant ⅓ de tasse de jus d'ananas pour une partie du liquide et en réduisant la totalité du liquide de 1 c. à table.
5. Verser soigneusement cette préparation dans le moule sans déranger le mélange de cassonade et les ananas.
6. Cuire à découvert environ 6 minutes, en tournant le moule à toutes les 2 minutes pour brunir également.
7. Retirer du four et laisser reposer 3 minutes.
8. Renverser le moule sur un plat de service en laissant le sirop et les fruits sur le dessus du gâteau.
9. Couper en carrés et servir avec de la crème fouettée.

135

Tarte vite faite à la crème de Boston   1 tarte de 8 pouces (20 cm)

1 paquet de mélange à tarte à la crème de Boston

1. Préparer la crème selon le mode d'emploi sur le paquet. Mettre de côté.
2. Graisser le fond d'un moule à gâteau rond de 8 pouces (20 cm) de diamètre. Placer deux cercles de papier ciré dans le fond.
3. Préparer le mélange à gâteau selon le mode d'emploi, en réduisant le liquide de 1 c. à table.
4. Cuire à découvert 3½ à 4 minutes, ou jusqu'à ce que le gâteau commence à se détacher des parois du moule ou qu'un cure-dents inséré au centre ressorte propre.
5. Refroidir dans le moule environ 3 minutes. Retourner le moule sur une grille et enlever le papier ciré.
6. Assembler le gâteau de la manière indiquée sur le paquet.

Mélange pour pain aux noix   1 pain

1 paquet de 17 onces (484 g) de mélange pour pain aux noix

1. Tapisser le fond d'un moule à pain de 9 x 5 x 3 pouces (22,5 x 12,5 x 7,5 cm) avec deux épaisseurs de papier ciré.
2. Préparer le mélange selon le mode d'emploi indiqué sur le paquet, en réduisant le liquide d'environ 2 c. à table.
3. Verser dans le moule.
4. Cuire à découvert 6½ à 7½ minutes, en tournant le moule environ 3 fois pendant la cuisson.

Moufflets au maïs (*muffins*) 8 moufflets

1 paquet de 8½ onces (241 g) de mélange à pain de maïs ou à moufflets

1. Tapisser de papier 8 ramequins.
2. Préparer le mélange à moufflets selon le mode d'emploi sur le paquet. Répartir la préparation dans les ramequins en ne les remplissant pas plus qu'à la moitié.
3. Cuire à découvert 1½ à 2 minutes ou jusqu'à ce qu'un cure-dents inséré au centre sorte propre.
4. Laisser reposer quelques minutes et démouler.

Autre méthode:
1. Graisser légèrement les fonds de 6 ramequins. Répartir le mélange dans les ramequins.
2. Cuire 2 minutes, en changeant la position des ramequins au bout de 1 minute.

Petits gâteaux 8 petits gâteaux

1 paquet de 8 onces (227 g) de mélange à gâteau jaune

1. Placer des moules à gâteau en papier dans 8 ramequins.
2. Préparer le mélange à gâteau selon le mode d'emploi sur le paquet, en diminuant la quantité de liquide de 1 c. à table. Verser le mélange dans les moules.
3. Disposer dans le four 4 ramequins à la fois espacés d'environ 1 pouce (2,5 cm). Les huit à la fois seraient une quantité excessive et ne cuiraient pas bien.
4. Cuire à découvert 2 à 2½ minutes, en les tournant une fois.
5. Retirer du four et laisser reposer; laisser le dessus sécher légèrement.
6. Glacer comme vous le désirez.

Note: Il suffit d'environ 30 secondes pour cuire un seul gâteau.

Autre méthode:

1. Graisser légèrement les fonds de 6 ramequins. Verser la préparation dans les ramequins.
2. Cuire à découvert 2½ à 3 minutes.
3. Retirer du four. Laisser reposer 2 minutes.
4. Démouler les petits gâteaux et les laisser refroidir à l'envers. Les glacer dans cette position.

Brioches glacées 6 portions

⅓ de tasse de cassonade bien tassée
3 c. à table de beurre ou de margarine

⅓ de tasse de noix hachées
1 boîte de 8 onces (227 g) de pâte à biscuits réfrigérée

1. Mélanger la cassonade, le beurre et 1 c. à table d'eau dans un moule rond de 8 pouces (20 cm).
2. Cuire à découvert 1 à 2 minutes ou jusqu'à ce que le beurre fonde.
3. Mélanger de nouveau et étendre dans le fond du moule. Saupoudrer avec les noix. Placer les biscuits sur le dessus de ce mélange.
4. Cuire à découvert environ 2½ minutes ou jusqu'à ce que les biscuits ne soient plus pâteux mais fermes. Tourner le moule 3 fois pendant la cuisson.
5. Laisser reposer environ 2 minutes. Renverser sur une assiette plate.

Tarte aux pommes

1 tarte de 9 pouces (22,5 cm)

7 pommes moyennes
¾ de tasse de sucre
2 c. à table de farine tout usage
⅛ de c. à thé de sel
1 c. à thé de cannelle

¼ de c. à thé de muscade
1 recette de pâte à tarte
1 à 2 c. à thé de jus de citron
2 c. à table de beurre

1. Peler et trancher les pommes. Mélanger avec le sucre, la farine, le sel, la cannelle et la muscade. Mettre de côté.
2. Rouler la moitié de la pâte à tarte et disposer dans le fond d'une assiette à tarte de 9 pouces (22,5 cm). Mettre les pommes dans la croûte. Asperger avec le jus de citron si les pommes ne sont pas trop acides. Parsemer de noisettes de beurre. Rouler le reste de la pâte et l'étendre sur les pommes. Souder les bords et faire des incisions sur le dessus de la tarte.
3. Cuire à découvert environ 10 minutes, ou jusqu'à ce que les pommes soient tendres.
4. Pendant que les pommes cuisent, faire chauffer votre four conventionnel à 450° F. (231° C).
5. Quand les pommes sont tendres, cuire la tarte dans le four conventionnel 12 à 14 minutes ou jusqu'à ce que la croûte soit dorée.
6. Servir chaude ou froide.

Note: La période de temps pour faire dorer la tarte peut varier selon la sorte de pâte employée. Les mélanges de pâte du commerce dorent plus vite que les pâtes faites à la maison.

Tarte au fromage et aux cerises

1 tarte de 9 pouces (22,5 cm)

139

⅓ de tasse de beurre ou de margarine
1¼ tasse de miettes de biscuits Graham
¼ de tasse de farine tout usage
Sucre
1 paquet de 8 onces (227 g) de fromage à la crème, ramolli

1 oeuf légèrement battu
1 tasse de crème sure commerciale, divisée
1¾ c. à thé d'essence de vanille, divisée
1 boîte de 21 onces (597 g) de garniture de tarte aux cerises préparée

1. Mettre le beurre dans une assiette à tarte de 9 pouces (22,5 cm). Faire fondre au four pendant 30 à 45 secondes.
2. Ajouter les miettes de biscuits Graham, la farine et 4 c. à thé de sucre au beurre fondu dans l'assiette et bien mélanger. Presser ce mélange bien également dans le fond et sur les parois de l'assiette. Mettre de côté.
3. Battre ensemble le fromage ramolli et ⅓ de tasse de sucre jusqu'à mélange parfait. Ajouter l'oeuf, ¼ de tasse de crème sure et ¾ c. à thé de vanille. Battre jusqu'à ce que ce soit léger et mousseux. Verser dans la croûte de biscuits.
4. Cuire à découvert 4 minutes, en tournant l'assiette une fois pendant la cuisson.
5. Retirer du four et laisser refroidir 8 minutes sur une grille à gâteau.
6. Battre ensemble ¾ de tasse de crème sure, 2 c. à table de sucre et 1 c. à thé de vanille. Verser soigneusement par cuillerées sur la préparation au fromage.
7. Cuire à découvert 2 à 3 minutes ou jusqu'à ce que la crème soit prise.
8. Disposer la garniture aux cerises en couronne sur le dessus de la tarte.
9. Bien refroidir au réfrigérateur avant de servir.

Tarte à la crème anglaise

1 tarte de 9 pouces (22,5 cm)

(Excellent pour les gens qui surveillent leur cholestérol)

1 tasse de succédanés d'oeufs congelés (sans cholestérol), dégelés
½ tasse de sucre
½ c. à thé de sel
1 c. à thé d'essence de vanille

2 tasses de lait complètement écrémé
1 croûte de tarte cuite de 9 pouces (22,5 cm)
Muscade moulue

1. Battre ensemble le succédané d'oeufs, le sucre, le sel, la vanille et le lait. Mettre de côté ⅔ de tasse du mélange. Verser le reste de la préparation dans la croûte de tarte cuite.
2. Cuire à découvert 3 minutes.
3. Mélanger soigneusement de façon à ramener la partie cuite vers le centre. Cuire de nouveau à découvert 7 à 8 minutes ou jusqu'à ce que le centre de la tarte soit presque pris. Remuer de nouveau, si nécessaire, au milieu de la cuisson.
4. Saupoudrer le dessus de la tarte de muscade et laisser refroidir avant de servir.

Note: Verser les ⅔ de tasse de mélange mis de côté dans 2 coupes à dessert. Cuire 3 à 4 minutes ou jusqu'à ce que le mélange commence à bouillir. Refroidir avant de servir.

Tarte à la citrouille

1 tarte de 9 pouces (22,5 cm)

2 oeufs légèrement battus
1½ tasse de garniture de citrouille cuite
¾ de tasse de sucre
½ c. à thé de sel
1 c. à thé de cannelle
½ c. à thé de gingembre

¼ de c. à thé de clous de girofle moulus
1 boîte de 14½ onces (411 g) de lait concentré
1 croûte de tarte cuite de 9 pouces (22,5 cm)

1. Mélanger les oeufs, la citrouille, le sucre, le sel et les épices et bien mêler. Ajouter le lait et faire une pâte lisse.
2. Prendre ⅔ de tasse de ce mélange et mettre de côté. Verser le reste du mélange dans une abaisse cuite.
3. Cuire 4 minutes.
4. Ramener avec soin la partie cuite des côtés vers le centre. Cuire 6 à 8 minutes ou jusqu'à ce qu'un couteau inséré au centre ressorte net.
5. Laisser refroidir avant de couper. Servir avec de la crème fouettée aromatisée pour agrémenter la présentation de cette tarte.

Note: Verser le reste de votre garniture de citrouille dans des ramequins en les emplissant aux ¾. Cuire 4 minutes ou jusqu'à ce qu'un couteau inséré au centre ressorte propre.

Sauce aux fraises au brandy

1½ tasse

1 chopine (2 tasses) de fraises fraîches
1 tasse de sucre

1 c. à table de fécule de maïs
2 c. à table de jus de citron
2 c. à table de cognac

1. Equeuter et écraser les fraises.

AUX PAGES SUIVANTES: à gauche, Pommes au four suprêmes, page 147; *à droite,* Rhubarbe Betty, page 152.

2. Mélanger le sucre et la fécule de maïs dans une terrine de 1 pinte (1 litre). Incorporer le jus de citron et les fraises écrasées.
3. Cuire à découvert 2½ à 3 minutes ou jusqu'à ce que le mélange bouille et devienne transparent.
4. Refroidir légèrement. Incorporer le cognac. Bien refroidir avant de servir.

Crème cuite au four   5 à 6 portions

4 oeufs	**2 à 2½ tasses de lait**
¼ de tasse de sucre	**1 c. à thé d'essence de vanille**
¼ de c. à thé de sel	**Muscade moulue**

1. Battre les oeufs en mousse. Ajouter le sucre et le sel; continuer de battre jusqu'à ce qu'ils soient épais et de couleur citron. Incorporer le lait et la vanille.
2. Remplir, aux ¾, 5 ou 6 ramequins de 6 onces (1,5 cl). Saupoudrer de muscade.
3. Mettre au four en laissant un espace de 1 pouce (2,5 cm) entre chaque ramequin. Cuire 4 minutes ou jusqu'à ce que la crème commence à bouillonner. Il peut être nécessaire de retirer quelques ramequins et de faire cuire les autres 30 secondes de plus.
4. Retirer du four et laisser reposer pour achever la cuisson.

Note: Cette crème peut être cuite dans un moule à gâteau de 8 pouces (20 cm), mais la cuisson sera plus inégale parce que les côtés cuisent plus vite que le centre. Toutefois, si vous désirez la préparer de cette manière, le temps de cuisson sera de 8 à 9 minutes.

143

Pouding indien à l'ancienne   4 à 6 portions

2 tasses de lait, divisées	**1 oeuf battu**
¼ de tasse de farine de maïs jaune	**¼ de tasse de mélasse**
2 c. à table de sucre	**1 c. à table de margarine ou de**
½ c. à thé de sel	**beurre fondu**
½ c. à thé de cannelle	**Crème glacée à la vanille**
¼ de c. à thé de gingembre	

1. Verser 1½ tasse de lait dans une casserole de 1½ pinte (1,5 litre). Chauffer 3½ minutes.
2. Mélanger la farine de maïs, le sucre, le sel, la cannelle et le gingembre. Incorporer au lait chaud.
3. Cuire à découvert environ 2 minutes, en remuant au moins une fois pendant la cuisson.
4. Battre ensemble l'oeuf, la mélasse et le beurre. Y verser un peu du mélange de lait chaud. Le remettre dans la casserole. Bien mélanger.
5. Cuire à découvert 4 minutes, en remuant à toutes les 2 minutes.
6. Verser soigneusement la demi-tasse de lait froid sur le dessus du pouding. Ne pas mélanger. Cuire à découvert 3 minutes ou jusqu'à ce que ce soit pris.
7. Laisser reposer 10 à 15 minutes avant de servir.
8. Servir chaud avec la crème glacée.

Mousse à la vanille avec sauce aux fraises   8 à 10 portions

2 enveloppes de gélatine non
  aromatisée

1½ tasse de sucre, divisée

1½ tasse de lait

2 oeufs, séparés

1 c. à table d'essence de vanille

1 chopine (50 cl) de crème
  épaisse, fouettée

1 chopine (2 tasses) de fraises
  fraîches

2 c. à table de fécule de maïs

½ tasse de jus de citron

2 c. à table de beurre

1. Bien mélanger la gélatine et 1 tasse de sucre dans un plat. Ajouter le lait.
2. Cuire à découvert 5 minutes, ou jusqu'à ce que ce soit chaud.
3. Mélanger les jaunes d'oeufs dans un petit plat. Y ajouter un peu du mélange de lait chaud. Verser dans le grand plat de lait chaud. Bien mêler.
4. Cuire à découvert 2 minutes ou jusqu'à ce que des bulles se forment autour du plat. Ne pas trop cuire pour éviter de faire cailler le mélange.
5. Ajouter la vanille. Placer le mélange dans un plat d'eau glacée. Refroidir jusqu'à ce que le mélange nappe le dos d'une cuillère.
6. Battre les blancs d'oeufs fermes mais pas secs. Incorporer au flan. Incorporer la crème fouettée. Verser le mélange dans un moule de 2 pintes (2 litres). Mettre au réfrigérateur jusqu'à ce que ce soit pris.
7. Pour faire la sauce: laver et équeuter les fraises. Mettre de côté 1 tasse de belles fraises pour décorer. Passer le reste des fraises à la moulinette ou au mélangeur électrique. Passer au tamis.
8. Mélanger le reste du sucre et la fécule de maïs dans un plat de 1 pinte (1 litre). Ajouter graduellement 1 tasse d'eau chaude.
9. Cuire à découvert 2½ à 3 minutes ou jusqu'à ce que le mélange bouille et devienne transparent.
10. Ajouter le jus de citron, le beurre et la purée de fraises. Réfrigérer la sauce.
11. Démouler la mousse sur un plat à servir. Garnir avec les fraises entières. Servir avec la sauce aux fraises bien refroidie.

Pouding préparé   4 portions

1 paquet de 3¼ onces (92 g) de
  préparation pour pouding, à la
  saveur de votre choix

2 tasses de lait

1. Mettre la préparation et le lait dans un plat ou un récipient de 1 pinte (1 litre). Bien mêler.
2. Cuire à découvert 5 à 6 minutes, en remuant fréquemment pendant les deux dernières minutes de cuisson. Le mélange commencera à bouillir et épaissir pendant la période de cuisson.
3. Retirer du four et bien mélanger.
4. Verser dans des coupes à dessert et refroidir avant de servir.

Pouding des grands jours   8 portions

2 paquets (3¼ oz ou 92 g chacun)
  de préparation pour pouding à
  la vanille

2 chopines (1 litre) de fraises
  fraîches nettoyées, tranchées, et
  sucrées

1. Préparer le pouding selon le mode d'emploi indiqué précédemment. Bien refroidir.
2. Dans un joli plat de service, verser le tiers du pouding refroidi. Couvrir avec la moitié des fraises.
3. Ajouter un deuxième rang de pouding, puis le reste des fraises. Mettre à la cuillère le dernier tiers du pouding sur les fraises. Garnir avec de la crème fouettée sucrée si désiré.
4. Bien refroidir avant de servir.

Note: C'est un dessert vite-fait et appétissant. Vous pouvez, si désiré, le préparer de la même façon dans des coupes individuelles.

Crème brûlée éclair   4 portions

1 paquet (3¼ oz ou 92 g) de préparation pour pouding à la vanille	**Cassonade**

1. Préparer le mélange à pouding selon le mode d'emploi indiqué antérieurement. Verser le pouding cuit dans un plat à cuisson peu profond. Bien refroidir et réfrigérer.
2. Tamiser environ ⅛ de pouce (3 mm) de cassonade sur le dessus du pouding en prenant soin de bien recouvrir toute la surface.
3. Placer sous le gril jusqu'à ce que la cassonade fonde et bouille. Surveiller attentivement pour ne pas laisser brûler.

Pommes au four suprêmes   6 portions

147

6 pommes à cuire	**¼ de tasse de cassonade**
Jus de citron	**2 c. à thé de cannelle**
½ tasse d'amandes effilées	**6 c. à thé de beurre ou de**
¼ de tasse de raisins secs	**margarine**

1. Laver les pommes et enlever les coeurs pour obtenir une cavité profonde dans chaque pomme. Oter une mince rondelle de pelure autour de la cavité et arroser de jus de citron.
2. Mélanger les amandes, les raisins secs, la cassonade et la cannelle. Remplir les cavités avec ce mélange et déposer chaque pomme dans un petit plat à dessert. Mettre 2 c. à table d'eau dans chaque plat. Parsemer chaque pomme avec 1 c. à thé de beurre.
3. Cuire 5 minutes.
4. Laisser reposer 2 à 3 minutes avant de servir.

Délices aux pêches éclair   4 portions

4 grosses moitiés de pêches en conserve	**4 c. à thé de cassonade**
	Crème glacée à la vanille
1¼ c. à thé de beurre ou de margarine	

1. Bien égoutter les pêches. Mettre dans un plat de 1 pinte (1 litre). Déposer ¼ de c. à thé de beurre au centre de chaque pêche. Saupoudrer 1 c. à thé de cassonade sur chaque moitié de pêche.
2. Cuire à découvert 3 minutes, ou jusqu'à ce que ce soit très chaud.
3. Servir chaud avec une boule de crème glacée au centre de chaque moitié de pêche.

Pommes à l'écossaise

1 boîte (1 lb ou 455 g) de pommes tranchées pour tartes	**½ c. à table de jus de citron**
½ paquet (6 oz ou 170 g) de morceaux de caramel au beurre	**¼ de tasse de farine tout usage**
1 c. à table de tapioca à cuisson rapide	**¼ de tasse de sucre**
	½ c. à thé de cannelle
	¼ de tasse de beurre ou de margarine ferme

1. Mélanger les pommes, les morceaux de caramel, et le tapioca dans un plat de 1 pinte (1 litre). Arroser le dessus de jus de citron.
2. Mélanger la farine, le sucre, et la cannelle dans un petit plat. Couper le beurre ferme dans la farine avec un mélangeur à pâte ou avec deux couteaux, jusqu'à la grosseur de petits pois. Saupoudrer sur le dessus de la préparation de pommes.
3. Cuire à découvert 5 à 6 minutes ou jusqu'à ce que ce soit très chaud.
4. Servir chaud avec de la crème épaisse ou de la crème glacée, si désiré.

Croustillants aux pommes et aux canneberges

6 portions

1 tasse de sucre	**⅓ de tasse de farine tout usage**
2 tasses de canneberges hachées	**½ c. à thé de sel**
2 tasses de pommes hachées	**¼ de tasse de beurre ou de margarine**
1 tasse de gruau à cuisson rapide	**½ tasse de noix hachées**
½ tasse de cassonade bien tassée	

1. Mélanger le sucre, 1 tasse d'eau, les canneberges et les pommes dans un plat à cuire beurré de 2 pintes (2 litres).
2. Couvrir et cuire 8 à 10 minutes, ou jusqu'à ce que les pommes soient tendres.
3. Mélanger le gruau, le cassonade, la farine, et le sel. Incorporer le beurre avec deux couteaux jusqu'à l'obtention d'un mélange granuleux. Ajouter les noix. Saupoudrer ce mélange sur la préparation de canneberges.
4. Cuire à couvert 5 à 7 minutes ou jusqu'à ce que les pommes et le dessus soient cuits.
5. Laisser reposer 3 à 4 minutes. Servir chaud ou froid avec de la crème fouettée.

150

Surprise aux pommes

6 portions

⅓ de tasse de margarine ou de beurre fondu	**½ c. à thé de muscade**
2 tasses de chapelure fraîche	**¼ de c. à thé de cannelle**
6 tasses de pommes à cuire évidées, pelées, et tranchées	**1 c. à thé de zeste de citron (facultatif)**
½ tasse de cassonade bien tassée	**2 c. à table de jus de citron**

1. Mélanger légèrement le beurre et la chapelure. Mettre le tiers de cette chapelure dans un plat de 2 pintes (2 litres).
2. Mélanger les pommes avec la cassonade, la muscade, la cannelle, et le zeste de citron. Déposer la moitié du mélange de pommes sur le fond de chapelure. Couvrir avec un tiers de la chapelure. Ajouter le reste des pommes.
3. Mélanger le jus de citron avec ¼ de tasse d'eau. Verser sur les pommes. Recouvrir avec le reste de la chapelure.
4. Couvrir et cuire 12 minutes.
5. Découvrir et cuire encore 10 minutes, ou jusqu'à ce que les pommes soient tendres.

Compote d'abricots

½ livre (227 g) d'abricots secs
1 tasse de raisins blancs secs
½ tasse de sucre
Le jus de 1 citron, ou 2 c. à table de
    jus de citron

1 boîte (11 oz ou 312 g) de
    mandarines égouttées

1. Rincer les abricots et les raisins à l'eau. Egoutter.
2. Mettre les abricots et les raisins dans un plat de 1½ pinte (1,5 litre). Ajouter 1½ tasse d'eau et cuire, à découvert, 5 minutes.
3. Ajouter le sucre, le jus de citron, et les mandarines. Remettre au four et cuire 5 minutes.
4. Laisser reposer 2 à 3 minutes avant de servir, ou réfrigérer si désiré.

Bananes à l'érable

4 portions

2 c. à table de beurre ou de
    margarine
3 c. à table de sirop d'érable

4 bananes
Jus de citron

1. Mettre le beurre dans un plat à cuire de grandeur moyenne. Cuire 1 minute, ou jusqu'à ce que le beurre soit fondu.
2. Ajouter le sirop d'érable et mélanger.
3. Placer les bananes pelées dans un plat. Arroser avec le beurre de sorte que les bananes soient bien enrobées. Cuire 2 minutes. Retourner les bananes une fois au milieu de la cuisson.
4. Retirer du four et arroser de jus de citron.

151

Bleuets au miel

4 à 6 portions

3 tasses de flocons de son
½ tasse de miel
¼ de tasse de sucre

1 c. à thé de cannelle
½ c. à thé de muscade
2 tasses de bleuets frais

1. Dans un plat, mélanger les flocons de son, le miel, le sucre, la cannelle, et la muscade.
2. Graisser un plat carré de 8 pouces (20 cm). Etendre la moitié du mélange aux flocons de son dans le plat. Couvrir avec la moitié des bleuets. Couvrir les bleuets avec le reste de la préparation au son et terminer avec les bleuets.
3. Couvrir et cuire 4 minutes.
4. Servir chaud avec de la crème glacée.

Poires farcies aux dattes

4 portions

4 poires Bartlett fraîches
½ tasse de dattes dénoyautées,
    coupées en petits morceaux
2 c. à table de cassonade pâle

3 c. à table de beurre ou de
    margarine
⅓ de tasse de vermouth sec

1. Couper les poires en moitiés. Peler et enlever le coeur. Mettre dans un plat à cuire, la partie coupée sur le dessus.
2. Remplir le centre de la poire avec les dattes. Saupoudrer de cassonade et parsemer de beurre.
3. Verser le vermouth sur les poires et cuire à découvert 8 minutes. Arroser avec le vermouth au moins 2 fois pendant la cuisson.
4. Laisser reposer 2 à 3 minutes avant de servir.

Rhubarbe Betty   6 à 8 portions

6 tasses de rhubarbe fraîche coupée en dés	**1 c. à table de zeste d'orange**
1¼ tasse de sucre	**2¾ tasses de cubes de pain frais**
2½ c. à table de tapioca à cuisson rapide	**⅓ de tasse de beurre ou de margarine**
1 c. à thé de zeste de citron	**1 c. à thé d'essence de vanille**

1. Mélanger dans un plat la rhubarbe, le sucre, le tapioca, et le zeste de citron et d'orange. Mettre de côté.
2. Mettre les cubes de pain dans un plat.
3. Mettre le beurre dans une tasse à mesurer. Cuire à couvert 30 secondes, ou jusqu'à ce que le beurre soit fondu.
4. Verser le beurre sur les cubes de pain et mélanger légèrement. Ajouter la vanille.
5. Dans une casserole de 1½ pinte (1,5 litre) faire alterner des rangs de préparation à la rhubarbe et de cubes de pain beurrés, en terminant avec les cubes de pain.
6. Couvrir et cuire 12 minutes, ou jusqu'à ce que la rhubarbe soit cuite.
7. Servir chaud ou froid.

Sauce caramel au beurre   1 tasse

½ tasse de sucre	**1 c. à thé de vanille**
½ tasse de cassonade bien tassée	**2 c. à table de beurre**
½ tasse de crème légère	**⅛ de c. à thé de sel**

1. Mélanger tous les ingrédients dans un récipient à mesurer de 2 tasses.
2. Cuire à découvert 2½ minutes ou jusqu'à ce que la sauce soit bien mélangée et chaude, en remuant une fois.
3. Servir chaud sur de la crème glacée.

Sauce au chocolat de fantaisie   2 tasses

1 paquet (12 oz ou 340 g) de préparation pour tarte au chocolat semi-sucré	**1 tasse de crème épaisse**
	3 c. à table de cognac
2 carrés (2 oz ou 58 g) de chocolat noir non sucré	

1. Mélanger la préparation au chocolat et le chocolat non sucré dans un petit plat.
2. Couvrir et cuire 2½ minutes ou jusqu'à ce que le chocolat soit fondu. Surveiller attentivement la dernière minute de cuisson pour éviter que cela ne brûle.
3. Incorporer la crème avec un fouet pour obtenir une pâte lisse.
4. Couvrir et cuire 30 secondes à 1 minute, ou jusqu'à ce que ce soit chaud.
5. Ajouter le cognac.
6. Servir chaud sur de la crème glacée à la vanille ou sur des carrés de gâteau.

152

Tableau de cuisson pour les aliments congelés déjà cuits

Pain de viande (2 lbs ou 910 g)

1. Chauffer 3 minutes. Laisser reposer 2 à 3 minutes.
2. Chauffer 3 minutes. Laisser reposer 2 à 3 minutes.
3. Chauffer 3 minutes. Laisser reposer 2 à 3 minutes.
4. Chauffer 3 minutes, ou jusqu'à ce que ce soit très chaud.

Poulet cuit (coupé en morceaux)

1. Placer chaque morceau de poulet sur une assiette à dîner.
2. Chauffer 2 à 3 morceaux à la fois, 4 minutes.
3. Si vous désirez un seul morceau de poulet, chauffer 3 minutes.

Sauce à spaghetti (1 chopine ou ½ litre)

1. Placer le récipient de plastique sous l'eau chaude pour détacher la sauce. Mettre la sauce dans un plat de 1 pinte (1 litre).
2. Cuire 15 à 16 minutes en remuant 3 ou 4 fois pendant la cuisson.

Riz cuit (1 paquet de 10 oz ou 283 g)

1. Faire une incision sur le dessus du sac et mettre le sac au four.
2. Cuire 5 minutes. Pour remuer le riz, presser sur le sac une fois pendant la cuisson.

Chili con carne (1 pinte ou 1 litre)

1. Faire couler de l'eau chaude sur le contenant de plastique pour détacher le chili. Mettre le chili dans une casserole de 1½ pinte (1,5 litre).
2. Couvrir et chauffer environ 17 minutes, ou jusqu'à ce que ce soit chaud, en remuant 3 ou 4 fois pendant la cuisson.
3. Laisser reposer 3 minutes avant de servir.

Pommes de terre au gratin (10 oz ou 283 g)

1. Retirer du plat d'aluminium et mettre dans une petite casserole ou un plat de service.
2. Couvrir et chauffer 4 minutes, en remuant une ou deux fois pendant la cuisson.

Macaroni au fromage (1 paquet de 10 oz ou 283 g)

1. Retirer du plat d'aluminium et mettre dans une petite casserole ou un plat de service.
2. Couvrir et chauffer 6 à 7 minutes, en remuant une ou deux fois pendant la cuisson.

Dîner TV (dîner à 2 mets, dans un plateau)

1. Laisser le dîner dans le plateau. Enlever le papier d'aluminium et recouvrir de papier ciré.
2. Chauffer 6 à 7 minutes.

Note: Il n'est pas recommandé de faire chauffer les dîners chinois de cette façon car les crevettes qu'ils contiennent habituellement pourraient brûler. Les dîners à la viande sont les plus faciles à utiliser dans le four à micro-ondes.

Index

155

159